――成功者が教える 35のアドバイス――

周りの9割が味方に変わる話し方

名古屋テレビアナウンサー歴28年
スピーチインストラクター
浅沼道郎

みらい PUBLISHING

はじめに

全世界を襲った新型コロナウイルスは、人と人との関わり方を大きく変えました。ビジネスではテレワークが増え、プライベートでもオンライン飲み会やオンライン里帰りなど、リアルな対面コミュニケーションは極端に減りました。

オンラインのコミュニケーションは便利です。しかし一方で、相手の表情や温度感、微妙な感情の動きなどを読み取る難しさも実感しました。形態がどう変化しようと、円滑なコミュニケーションの成立には、「話し方」の工夫が重要であることに変わりはありません。

人と人との関わりに欠かせない「挨拶」の起源については、こんな説があります。

まだ言語が生まれていなかった原始時代、知っている顔に出会ったときは味方と見て声をかけあい、初めて出会った相手は敵と見なして警戒する。つまり、「挨拶」をするのは味方であることの証明であり、敵と見なせば「挨拶」はしない。「挨拶」をする、しないで、敵と味方を区別していたというのです。

現代にあっても同じです。まったく「挨拶」のできない人は、気づかぬうちに敵をつくります。たとえ「挨拶」ができても、ボソボソと暗い「挨拶」しかできないとしたら、いつまでたっても相手との距離は縮まりません。

反対に、明るく元気な「挨拶」を心がければ、相手は親しみをもって接してくれるでしょう。味方となる第一歩を築けるということです。それが人と人とのつながりです。

「人間の悩みはすべて対人関係の悩みである」とは、心理学者アドラーの言葉です。

確かに会社や学校、家庭など場所は違っても、悩みの大半は人間関係に起因すると考えられます。いま悩みを抱えている人には、周りの人間がすべて敵に見えることだってあるでしょう。ましてやネット時代の現代にあっては、SNSの何気ない一言が炎上し、あっという間に大勢を敵に回してしまうことが頻繁に起こりえます。

日々そんな厳しい戦いにさらされている皆さん、本書の提示する〈人生の成功を目指す基本的な考え方〉が、こちらです。


敵は撃退するな！　味方に取り込む努力をせよ！

味方が増えれば増えるほど、あらゆることが順調に、思い通りに運ぶようになります。夢も希望もかなって、誰でも人生の成功者になれるのです。

敵を味方に取り込む武器は、ズバリ「話し方」です。

なぜ周りは敵だらけなのか、その原因をすべて他人のせいにしていませんか？

イジメやねたみ、パワハラ、仕事の成果が上がらない原因が、実はあなたの「話し方」にあったとしたら？

あなた自身が、相手をイライラさせる「話し方」をしていたとしたら？

反感を買うような、偉ぶった「話し方」をしていたとしたら？

他人を変えることはできませんが、自分を変えることはできます。いますぐ「話し方」を見直して、味方を増やすことに努めましょう。

本書では、出会った人を味方につける35の「話し方」を伝授します。

そのエビデンス（根拠）として、誰もが一度は耳にしたことがあるフレーズやことわざ、また「へーっ」とうなるような名言を掲げました。皆さんが35の「話し方」を実践するにあたって、迷うことのない明確な道しるべとなるはずです。


人はいつでもどこでも「話し方」で評価されています。

あなたが何気なく言葉を交わしている相手は、時に無意識ながらも、あなたの「話し方」

から、あなたという人物（の価値）を判断しています。

もしその相手が仕事関係の人なら、日頃のさりげない会話を通じて、ビジネスパートナーとしてのあなたを品定めしています。つまりあなたの「話し方」が、仕事の結果にまで影響を及ぼしてしまうわけです。

「話し方」を決定する要素は、話す内容にとどまりません。声、物腰、姿勢、表情、態度などさまざまです。どれ一つとっても、相手への気配りがなければ悪印象を持たれてしまいます。

たとえば、言葉遣いによって相手が受ける印象は大きく変わります。

知的で礼儀正しい言葉遣いをすれば、その人の評価は〈品格のある人〉と印象づけられるでしょう。乱暴な言葉遣いをすれば、〈無作法な人〉とのレッテルを貼られ評価は下がります。

一方で、荒々しい言葉遣いをしても相手の心を打つことがあります。丁寧な言葉遣いなのに、まったく心に響かないこともあります。たとえ正しい言葉遣いをしても、言葉の微妙な表情（ニュアンス）の違いで信頼関係に亀裂が生じ、大事なパートナーを失ってしまうことだってあります。要は、うわべだけ「話し方」を繕《つくろ》ってもダメなのです。

私は民放局の名古屋テレビ放送（通称メ～テレ・名古屋市中区）で28年間アナウンサーを務め、業務のかたわら多くのアナウンサーを育ててきました。

プロの話し手であるアナウンサーも、キャリアを重ねるうちに優劣の差は生まれます。その際、周りの評価の基準はテクニックではありません。どんなにスキルを磨いても、「話し方」には、その人の考え方、生き方、働き方など、すべてが表れます。表面だけの、真心のこもっていないアナウンスは、たちまち視聴者に見破られてしまいます。

「話し方」に魅力があるということは、その人自身の生き方や考え方に魅力があるということです。魅力ある人の周りには人が集まり、いざというとき強い味方となってあなたを支えてくれます。

きのうまでの手ごわい敵を味方に取り込むことができれば、もう天下無敵です。何事も思い通りに運んで、望み通りの結果が得られるでしょう。

一人でも多くの方が理想の「話し方」を身につけられ、たくさんの良き仲間たち（味方）に囲まれて、明るく楽しく、充実した時間を過ごすことができますように。

本書が皆さんのお役に立てることを心から願っています。

目次　――周りの9割が味方に変わる話し方――

第2章
「話し方」ひとつで、あなたの周りに味方が増える

第4章

「話し方」ひとつで、あなたの未来は変えられる

第1章

「話し方」ひとつで、あなたの周りに苦手な人がいなくなる

①「怖い顔をしたおまわりさんも、心の中ではW杯出場を喜んでいるんです」

（DJポリスの雑踏警備のアナウンス）から学ぶ

DJポリスの登場で警察官のイメージが変わりました。それまでは怖いイメージしかなかった雑踏警備の機動隊員でさえ、「話し方」を変えることによって親しみのある存在に変えてしまったのです。

その「話し方」には三つのコツがありました。ぜひ、あなたもこのコツを学んで、苦手な人の克服に役立ててください。

ポイント▼仲間意識を共有すれば、目指すゴールは近くなる

「あの人とは性格も考え方もまったく違う。もう一緒になんかやってられない」

誰しも周りに一人や二人は苦手な人がいるものです。だからといって、避けてばかりもい

られないのがつらいところです。

「なんとか上手く付き合う方法はないだろうか？」

そんな悩みをお持ちの方は、あの〝DJポリス〟を思い出してください。

サッカー日本代表が２０１４ワールド杯出場を決めた夜、多くのサポーターでごった返す渋谷駅前で、大きなトラブルなく群衆を安全に誘導した、あのおまわりさんです。

「こんな良き日に、おまわりさんも怒りたくはありません。おまわりさんもチームメイトです。そのおまわりさんの言うことを聞いてください」

「サポーターの皆さんは12番目の選手でもあります。ルールとマナーを守って、フェアプレーできょうの喜びを分かち合いましょう」

この軽妙なアナウンスで脚光を浴びたのは、正真正銘、警視庁第九機動隊に所属するおまわりさんです。

機動隊といえば、ヘルメットにゴーグル姿、眼光鋭くにらみを利かせ、言葉なんか一言も発しない、ただ相手を威圧するイメージですよね。そんな近寄りがたい怖いイメージを、親しみあふれるアナウンスが大きく変えてしまったのです。

「話し方」が、仕事の持つイメージをガラリと変えてしまった典型的な例といえるでしょう。

このおまわりさんの話し方に、なぜ誰もが親しみを感じたのか、その理由について考えてみます。

先述したように、その「話し方」には三つのコツがありました。

＊命令調ではなく、依頼、お願いをしている

＊共感を得られるワードをチョイスしている

＊自分のミスは素直に認めて謝っている

大ざっぱにまとめると、この三つの点を生かしたアナウンスが、一人の逮捕者もケガ人も出さなかった結果につながったと考えられます。

まずは、上から目線の命令調でなかったことが挙げられます。

「いま車道を歩いている人、すぐに歩道に戻りなさい！」

これでは指示に素直に従うというより群集心理も働いて、むしろ反発する人たちの方が多くなりかねません。

次に、サッカーにちなんで「チームメイト」や「フェアプレー」といったワードを使っているのも、より親しみを感じさせた理由でしょう。

そして、実はＤＪポリスさん。このときはちょっとした勘違いでアナウンスにミスもありました。

「信号が赤になりました。あ、間違えました。青でした。皆さんにまた会う日まで練習しておきます」

ミスは素直に認めて謝る、という姿勢も、好感度を増した理由だったと考えられます。

この三つから浮かび上がるキーワードを、私は〈仲間意識〉と分析しました。

取り締まりをする側とされる側、百八十度立場の違いがありながら、ＤＪポリスの卓越した話し方によって、両者の間にワールド杯出場を喜ぶ〈仲間意識〉を芽生えさせたのです。

さて、一般の職場で考えてみます。

どんな職場にも上下関係があり、指揮命令系統ははっきりしています。

しかし職場は軍隊ではありません。上司からの指示が、部下の心情を無視した一方的な命令であったとしたら、それは部下の反発を招くだけです。何より絶対服従の下での仕事に、いい結果は望めません。

〈仲間意識〉があれば、共通の目的が存在します。目的さえ見失わなければ、意見の対立だってプラスの結果に作用します。どんなときも〈仲間意識〉を忘れない「話し方」が、人間関係を円滑にするのです。

働き方改革が叫ばれる昨今、パワハラ、セクハラ、マタハラなど、職場でのハラスメント行為は大きな社会問題になっています。

こうしたハラスメントが横行する職場には、ハラスメントをする側とされる側の間に、大きな溝が存在します。しかしほんの少しでも〈仲間意識〉を見出せれば、ハラスメントは減らすことができると思うのです。

あなたがいまやるべきことは、職場では笑顔を忘れず、負の感情を封印し、常に〈仲間意識〉が広がるような会話を心がけること。あなた自身が「ＯＮＥ ＴＥＡＭ（ワンチーム）」の雰囲気づくりを意識することです。マイペースでかまいません。あせらず、ゆったりと構えて実行に移してみてください。

②「笑えばいいと思うよ」

（『新世紀エヴァンゲリオン』の主人公・碇《いかり》シンジのセリフ）から学ぶ

激しいバトルのあと、シンジは仲間のレイの無事な姿を見て思わず涙します。一方のレイは、「ごめんなさい。こういうとき、どんな顔すればいいのかわからないの」。これに対してシンジが返すのが、右のセリフです。レイはゆったり微笑みを返しますが、実はこれが、レイがシリーズで初めて見せた「笑顔」であり、ファンの間でも語り草になっている名シーンです。

世の中に「笑顔」の似合わない人はいません。どんな状況でも、「笑顔」さえあればコミュニケーションは成立するのです。

ポイント▼「笑顔」で話せば、味方が増える

人は「笑顔」で話すだけで愛され、味方を増やすことができます。

どんな仕事も、それぞれ形態に違いはあっても、人々の生活の役に立ち、社会に貢献している点は同じです。ということは、仕事は人に愛されて初めて成立するものといえるでしょう。とりわけアナウンサーの仕事は際立っています。

アナウンサーは、メディアを介して不特定多数の人々に、社会に有益となる、さまざまな情報を伝えるのが仕事です。つまり伝え手（アナウンサー）と受け手（視聴者）の間に、確固とした信頼関係が築かれていなければ仕事は成立しません。

相手から信頼感を勝ちとる要件の一つが「好感度」です。テレビ画面に登場するアナウンサーが、伝える情報の内容以前に、視聴者の皆さんに不快な印象を与えてしまってはいけません。アナウンサーに求められる条件はいろいろありますが、まずは老若男女《ろうにゃくなんにょ》を問わず、あらゆる人たちに好感を持ってもらうことが挙げられる所以《ゆえん》です。

アナウンサーの採用にあたっても、最優先される審査基準が「好感度」です。どのテレビ局も、採用試験では万人に愛される人材を確保しようと必死です。

インターネットに押され、就職先としての地上波テレビ局の人気は下降気味ですが、アナウンサーに限っては相変わらず狭き門です。特に女子アナの人気は依然として高く、私が勤めていたメ～テレの場合、わずか1名の採用に対し、いまも400～500名の応募があります。

なぜ女子アナという仕事は、こんなにも人気があるのでしょうか？　そもそもテレビ局内では女子アナという呼称は使いません。原則、男性アナウンサー、女性アナウンサーというジェンダーに配慮した呼称を使っています。

世間一般にいう女子アナは、いま完全にブランド化しています。アイドルと同じ次元で捉えている人も多いようです。現に、モデルや歌手のオーディション感覚で局アナ試験にチャレンジする女性もいます。「アナウンサーとしての夢は？」という質問に、「ＣＤを出すことです」と、真顔で答えた学生もいました。

エントリーシートにミスコンの経歴を大書している学生もいれば、面接試験ではファッション雑誌のモデルと見紛《みまご》うような女性もいます。しかし当然のことながら面接官の尺度は、容姿の端麗さではなく「好感度」に絞られます。

「好感度」の判断基準は理屈ではありません。かなり感覚的なものといえます。しかも第一印象に大きく左右されます。この際、バロメーターとなるのは「笑顔」です。

「笑顔」は、老いも若きもすべての人の好感度をアップさせる武器となります。そしてこの武器が最強である秘密、それは「笑顔」は伝染するということです。

いま職場で一人でも多く味方をつくりたいと思うなら、どんな相手に対しても「笑顔」で接することを心がけるべきです。

「笑顔」は相手への好意を示します。人は、好意を寄せる相手に対しては好意を返すものです。日頃からちょっと苦手だなと感じる人に対しても、毎日元気に「笑顔」で挨拶を続けてみてください。数日後には、何かしら好意の一言が返ってくるはずです。

誤解しないでください。私は人のご機嫌をとりなさいとか、お世辞を言って相手に気に入られなさい、と言っているわけではありません。人との関わり方の基本に「話し方」があり、その際の天下無敵の武器が「笑顔」だということです。ならば、この武器を使わない手はないでしょう。

もう一つ、「笑顔」の意味について考えてみます。若手社員が理想の上司に求めるのは、指導力、決断力、包容力などと並んで、ユーモアだとは、よく言われることです。

確かに毎年発表される理想の上司ランキング（明治安田生命アンケート調査）で、明石家さんまさんやタモリさん、所ジョージさん、内村光良さん、女性では水卜麻美アナウンサー、いとうあさこさんらが上位にランクされているのを見ると、ユーモアの大切さは素直にうなずけますね。

では、いま名前を挙げた方たちの顔を一人ひとり思い浮かべてください。どうでしょうか？　誰一人、気難しい表情はしていないはずです。全員「笑顔」ですよね。

あなたの名前を聞いただけで、あなたの「笑顔」が思い浮かぶ、それが理想です。なぜなら、相手にはすでにあなたの「笑顔」がインプットされているからです。それは、「笑顔」に象徴されるあなたの柔らかな人柄が、相手の心の内に定着してしまったことにほかなりません。

「笑顔」の絶えない職場こそ、最高の職場です。そこにはハラスメントが生まれる土壌は存在しえないでしょう。そういう職場を、ぜひあなたの「笑顔」でつくってほしいと思います。

③「いま小学校で流行っていることは何ですか？教えてください」

（アナウンサーの基本技術）から学ぶ

子どもへのインタビューも、丁寧語（です・ます調）がアナウンサーの基本です。常に相手を尊重した物言いが素直な答えを引き出し、ひいては視聴者の好感度にもつながります。どんな相手であっても、相手を敬う意識を忘れない「話し方」が、円滑な人間関係をつくりあげます。

ポイント▼どんな相手にも丁寧語を使いなさい

テレビのリポーターの「話し方」について考えてみます。

ここでいうリポーターとは、アナウンサーも含め、報道・スポーツ・芸能などあらゆるジャンルで、マイクを使って視聴者に情報を伝える「話し手」を指します。時に「話し手」は「聞き手」にもなります。街頭インタビューに代表されるように、初めてお会いする不特定多数の人たちにマイクを向ける場合、通常、リポーターは丁寧語（です・ます調）で話しかけます。

たとえば選挙を控えて有権者の意識を探りたいとき、「今回の選挙で、立候補者に一番期待することは何ですか？」。これがごく常識的な言葉遣いです。間違っても、「立候補者への一番の期待って、何？」。こんな無礼な質問の仕方はありえません。

ところがインタビューの内容や状況などによっては、ざっくばらんな言葉遣いが効果的なこともあります。

たとえばリポーターが知名度のあるタレントだった場合、大勢の観光客でにぎわう行楽地で「どこから来たの？」。有名タレントのなれなれしい口調（いわゆるタメ口）が呼び水となって、インタビューする側とされる側の垣根が一気に取り払われ、初対面にもかかわらず会話が大いに盛り上がることがあります。

アナウンサーの場合は、基本的にどんなシチュエーションでもタメ口は使いません。たとえ相手が子どもであっても丁寧語で質問します。

「ちょっと、いいですか？　いま小学校で流行っていることは何ですか？　教えてください」

「えーと、ドッジボールです」

私の経験則では、丁寧語で聞けば、ほぼ答えも丁寧語で返ってきます。

丁寧語というと、あらたまった言葉遣いで他人行儀、というイメージですが、初対面でのインタビューでは礼儀として当然の使い方です。親しみやすさ、気さくさを打ち消す要因にはなりません。

むしろ子どもの場合は、自分自身が尊重されているという自覚が芽生え、そのためじっくり考えようという意識が働いて、結果的に本音を引き出すきっかけにもなると考えられます。そして何よりアナウンサーが子どもを一人前に扱い、それに対して大人びた反応をする子どもの姿が視聴者には微笑ましく映り、ひいては好感度につながるのです。

アナウンサーに限ったことではありません。皆さんの職場の会話も同じことです。丁寧語だけでなく、普段から敬語をしっかり使える人が誰からも一目おかれます。

部下に対して厳しい命令調で指示する上司が、いったん業務を離れてプライベートな会話になったとき、一転して丁寧語を使ったとしたらどうでしょう。仕事には厳しいが、人間的には礼儀正しく優しい面がある――と、公私混同しない魅力がクローズアップされ、職場でのファンがさぞ増えるに違いありません。

そもそも地位の高い人（本当にその地位にふさわしい人に限ります）は、けっして偉ぶることなどないものです。言葉遣いも態度も、偉い人ほど謙虚で穏やかです。また相手によって急に不遜になったりはしません。

私が新入社員だった頃、とても仕事のできる関係会社の先輩とタクシーに同乗したときのことです。その先輩の運転手さんへの物言いがとても横柄だったことがありました。

「あの信号を右、違う、次の信号」「よし、そこでいい。いくら？」

車内では私に丁寧語で話すのですが、運転手さんへの態度とのギャップに、それまでの尊敬の念が一気にしぼんでしまったことを覚えています。

タクシーに乗った時点で、運転手と客の間には目的地まで乗せる（乗せてもらう）契約は成立しますが、そこに主従関係は存在しません。乗せてもらうという意識があれば、絶対にこんな言葉遣いはできないはずです。このとき一番不快な思いをしたのは運転手さん自身でしょうが、その場にいた全員がイヤな雰囲気を感じ、発言者だけが気づかないとは、当の発言者にとって何とも不幸なことだと思うのです。

多かれ少なかれ、皆さんも同じように不快な体験をされたことがあるのではないでしょうか。

自分より役職が上の人にはひたすら腰が低いのに、下と見るや途端に横柄な態度を示す人。

普段はとても紳士淑女然としているのに、レストランでのオーダーがとても乱暴な人。自分の部下でもないのに、掃除のおじさん、おばさんへの言葉遣いが命令調になる人。

肩書が人を育てるとは、よく言われることです。確かに肩書が責任の所在を明らかにし、また本人が肩書に見合った努力をするというメリットはあります。一方で肩書にあぐらをかいて、ただ威光を笠に着る人がいるのも事実です。

偉い仕事の代名詞といえば、誰もが真っ先に政治家を思い浮かべるでしょう。周りから偉いと認められる人こそ、丁寧語を使うべきだと思います。べらんめえ口調で有名な、内閣総理大臣の経験もある大物政治家がいます。記者会見では記者を「お前」と呼び、質問に対して「もっと大きな声で言えや」「さっき言ったじゃねえか」。さすがにこの発言は物議をかもしましたが……。

相手を尊重する気持ちがあれば、丁寧語は自然に口をついて出てくるはずです。ただし過剰な敬語はかえって聞き苦しいことも忘れてはいけません。まずはどんな相手でも「です・ます調」で話しかけることを心がけてください。けっして難しいことではありません。いますぐに実践してみましょう。

④「そんなに形にこだわらないの。大切なのは心よ」

（スタジオジブリ作品『魔女の宅急便』の主人公・キキの母親のセリフ）から学ぶ

13才になった満月の夜、魔女修行に旅立つことになったキキは、お供する黒猫ジジと自分の黒服の組み合わせが「まっくろくろ」で気に入りません。そこでお母さんが、「何事も形ではなく、心が大切」と諭《さと》します。のちにキキがホウキではなく、デッキブラシで空を飛ぶことになるシーンにもつながるセリフです。

上手く伝えよう、きれいに伝えよう、ではなく、何を伝えたいのか、大切なのは心で伝えること――何か見失いそうになったときに思い出してほしいセリフです。

ポイント▼ 伝えようという意識はありますか？

新人アナウンサーの基本的な研修の一つに「ニュース読み」があります。

皆さんがニュース原稿を読む機会はないと思いますが、プレゼンなど何かしらの発表の場で、人前で原稿を読み伝えることはあるはずです。その読み伝え方の基本は同じです。ぜひこのあとのアドバイスを参考にしてください。

新人アナの教材は４００字程度の短い一本のニュース原稿です。新人たちは、正確なアクセントとイントネーション、スピード、プロミネンス（強調）、チェンジ・オブ・ペース、間の取り方に細心の注意を払い、さまざまな工夫を凝らして原稿をひたすら読み込みます。

ここで新人が陥りやすいのが、〈読む〉ことを〈伝える〉ことと勘違いしてしまうことです。

私がまだ駆け出しの頃の失敗談です。

中日ドラゴンズの取材で静岡県・浜松球場に出かけたときのこと。朝から好天に恵まれ、きょうは絶好の野球日和《びより》と喜んでいたのも束の間、突然の雷雨で全身ずぶ濡れに。この日の「静岡県西部」の天気予報は「午後からの激しい雷雨にご注意ください」。前夜に自分でその原稿を読んでいたにもかかわらず、そのとき私は突然の雷雨を、まさに青天《せいてん》の霹靂《へきれき》と感じたのでした。

なぜこのとき、自分が〈伝えた〉天気予報を忘れてしまっていたのか？ それはただ原稿の活字を追いかけ、〈読む〉作業に終始していたからです。巧みに〈読む〉ことと〈伝わる〉こととは違います。自分でもしっかり消化できていないのに、これでは不特定多数の視聴者に〈伝わる〉わけがありません。

またこんなこともありました。

日本が誇る名優・高倉健さんの訃報をテレビが伝えたとき、私はチャンネルを切り替えながら各局のニュースを見比べていました。

A局ではベテランアナウンサーが伝え、B局では明らかに経験の少ない若手アナウンサーが伝えていました。両局とも、健さんの懐かしの映像を紹介しながら故人を偲ぶという、ほぼ同じ内容でした。

しかしどうも〈伝わり方〉が違うのです。言葉では説明が難しいのですが、情報量は同じでも、視聴者として受け取る〈重み〉が違いました。若手アナからは原稿を〈読む〉懸命さは伝わってきます。一方のベテランアナは淡々と原稿を読んでいるのですが、原稿の内容以上の〈重み〉〈深み〉がドーンとこちらに〈伝わって〉くるのです。

その差を、アナウンス技量の違いと片づけるのは簡単ですが、おそらく健さんについての知識や、ストイックな役柄そのものの生き方への共感・憧れなど、伝え手の内面に培《つちか》われた思いの差が如実に表れていたのではないでしょうか。

こうした世代の差、経験の差はひとまず措《お》いて、〈読む〉ことと〈伝える〉ことは明らかに違う――このことを前提に、話を先に進めます。

〈読む〉のではなく〈伝える〉意識を持つにはどうしたらいいのでしょうか。

意識を原稿だけに向けるのではなく、同時に〈伝える〉相手にもっていこうと心がけることが肝要です。原稿に集中しながらも〈伝える〉相手を意識する――こう申し上げてもわかりづらいかもしれませんが、日常生活の中では誰しもごく自然に行っていることです。

たとえば手元のメモを見ながら口頭で連絡をする場合、伝え手の意識はまずメモの内容にありますが、〈伝えよう〉という意識が働いたとき、同時に相手に向けられます。

「次回の会合の集合場所、○○に△時でよろしく」。当然、伝え手もしっかり内容を把握しての伝達です。

手元に長文の原稿がある場合も同じことです。この〈伝えよう〉という意識さえあれば、内容は相手にも確実に届きます。そして伝え手が原稿の内容を忘れることはありえません。

最近のニュースを見ていて気になることがあります。プロンプター（電子カンニングペーパー）の多用です。プロンプターは原稿読みの補助システムで、民放・ＮＨＫを問わず、プロンプターに頼っているアナウンサーやキャスターは多く見受けられます。

確かに手元の原稿に目を落とさず、顔を上げたまま原稿を読めば、視聴者は自分に話しかけられていると いう気分になるでしょう。しかし読んでいることに変わりはありません。むしろ離れた位置にあるカンニングペーパーを〈読む〉行為に汲々《きゅうきゅう》として、時に前のめりになって活字を追いかけているアナウンサーもいます。そんな姿を見るにつけ、本来の目的である〈伝える〉こととはどうも違うような気がしてなりません。

冒頭にも述べたように、皆さんがニュース原稿を読む機会はないでしょう。しかしどんな原稿でも、読み伝え方の基本は同じです。

結論です。上手く伝えよう、きれいに伝えようではなく、伝えようという意識を忘れないこと。プロ並みの完成度に近づける秘訣は、この一点に絞られます。

5 「究極のアナウンサー技術とは、寝言まで滑舌よくしゃべるようになることだ」

（アナウンサーの都市伝説）から学ぶ

アナウンサーの「話し方」の特徴は、常に発音が明瞭で、聞き取りにくい「音《おん》」が一つもないことです。アナウンサーは日々の滑舌練習を欠かしません。理想は、練習の成果が体に染みついて、意識しなくても滑舌のいい「話し方」ができるようになることです。

「オレはどんなに酔っぱらっても呂律《ろれつ》が回らないなんてことはない。寝言だって滑舌がいいんだ」。そう豪語するベテランアナウンサーがいました。事の真偽はともかく、究極の理想の姿であることは間違いないようです。

ポイント▼　明るさが好感度を上げる

ウィズコロナ・アフターコロナ時代に、私たち一人ひとりに求められるもの。それは日々生活する中で、できるだけ負の感情を封印することです。ここでは明るい「話し方」の実践を通して、円滑な人間関係と明るい社会の構築を目指します。

アナウンサーと一般の方の「話し方」を比べて、皆さんはどこに一番の違いがあるとお考えですか？　声質が違う。発声が違う。話が上手い。話に説得力がある――いろんなご意見があるでしょうが、私はいつも「ズバリ、滑舌の違いに尽きる」とお答えしています。

滑舌がいいとは、言葉の発音が明瞭であること。つまり歯切れがいいということです。反対に滑舌が悪いとは、歯切れが悪いということです。

人は、歯切れがいい話し方には〈快〉を感じ、歯切れが悪い話し方には、無意識のうちに〈不快〉な印象を覚えます。それは歯切れの良さに〈明るさ〉を感じ、歯切れの悪さには〈暗さ〉を印象づけられるからです。

〈明るさ〉は、コミュニケーションをスムーズに進めます。誰しも初対面で、ハキハキと明快な話し方をする人には好感を持つに違いありません。反対にムニャムニャ、モゴモゴ、何を言っているのかわからない、はっきりしない話し方にはイライラ感が募るばかりでしょう。

では、どうすれば滑舌が良くなるのか？　これぞアナウンサーの〈極意〉ともいえる、とっておきのコツを伝授します。

「はじめまして。浅沼と申します」

初対面で相手に一番伝えたいことは、当然ながら自分の名前です。このとき自分の名前を、私は音に分解することにしています。頭の中で「浅沼」という漢字を、「あ・さ・ぬ・ま」と平仮名に置き換えてみるのです。そうすると、一音一音、丁寧に、ゆっくり、はっきり発音しようという意識が働きます。この意識があるかないかが、一般の方との発音の違いに表れるのです。

滑舌は、アナウンサーの生命線です。普段、滑舌を意識して会話をしている人は、ほとんどいないでしょう。アナウンサーは必ず意識しています。マイクを握っているときだけではありません。朝起きてから夜寝るまで、プライベートの時間もずっと意識しています。そんなアナウンサーを端的に表現する、こんなジョークがあります。

アナウンサーは「はっくしょん!」と、実に滑舌よく、くしゃみをする。

それはさておき、もう一つ、「話し方」の重要な要素に、声の「表情」があります。人間は感情の動物です。往々にして話し方も、そのときの感情に左右されます。まったく同じことを話したとしても、感情によって伝わり方に違いが出てしまうことがあるのです。

ここで皆さんにも試していただきたいことがあります。

「これが１０００円」というフレーズを、さまざまな感情を込めて読んでみてください。

まずは驚きの表情で。「こんな素晴らしい品物がたった１０００円で買えるなんて、いやあ、びっくりした」というニュアンスですね。

どうですか？　できましたか？

では次に、後悔の念を込めて。「１０００円の価値なんかまったくなかった。買って損した」という感情を込めて読んでみてください。

ほかにも、「ふん、あきれた」(軽蔑)、「もうダメだ」(絶望)、「やったぁ、うれしぃー」(喜び)、「へえ、珍しいねえ」(好奇心)、「そんなバカな、冗談じゃないよ」(疑い)など、いろいろなパターンが考えられます。

まったく同じフレーズであっても、感情のバリエーションによって、明らかに相手への伝わり方は違ってきます。

演技をして感情をコントロールするならともかく、そのときの気分次第で相手への伝わり方が違ってしまうということ、ご理解いただけると思います。

同じ言葉を使っても、そのときの気分次第で伝わり方が違う——本当に怖いことですよね。どんなに正しい言葉遣いをしたとしても、話し手の態度に少しでも横柄さが表れたとしたら、好感度はぐっと下がってしまうのですから。

ここで意識できる大切なことは、喜びは素直に表現しても、怒りやいらだちなど、いわゆる負の感情は一切出さないことです。

初対面の場合は、会話が始まる前からあなたは観察されています。最初にあなたという人を印象づけるのは、服装、身だしなみです。けっして高価なスーツを身につけろと言っているわけではありません。何より大切なのは清潔感です。自分をどう見せるのか、常に周りの目を意識した自己演出が必要だということです。

そして第一声。明るく、ゆっくり、はっきりとした「話し方」を心がけましょう。これで抜群の好感度を印象づけられること、間違いありません。

⑥「俺は議論はしない。議論に勝っても、人の生き方は変えられぬ」

（坂本龍馬の名言）から学ぶ

幕末の志士・坂本龍馬は、その卓越した交渉力で歴史に名を残しました。薩摩藩・西郷隆盛と長州藩・桂小五郎を説得し、薩長同盟を結ばせます。そのあと武力で倒幕をはかろうとした際には、こんどは幕府に働きかけて大政奉還を実現させました。

その成功の裏には、相手のプライドを傷つけず、不可能と思われた交渉をまとめる人並み外れたコミュニケーション能力がありました。人は自分を認めてくれる人には心を開くものです。たとえ議論で相手を打ち負かしても、相手の心は離れていくだけです。議論で勝った満足感・達成感は得られても、味方は絶対に増えないのです。

ポイント▼　相手を否定してはいけない

「話し合い」の場が、時に「言い合い」の場になってしまうのは困りものです。

「話し合い」とは、何かしら生じた問題の解決を目指して、互いに意見を述べることです。

これに対して「言い合い」とは、互いに自分の意見を主張して譲らず、言い争うことです。

最初は問題解決の意見を出し合っていたはずなのに、結果的に言い争いで終わってしまっては、互いにあと味の悪い結果しか残りません。


では「言い合い」を、「話し合い」に変えるにはどうしたらいいのでしょうか?

「話し合い」を成立させるために、押さえておきたいポイントは二つあります。一つは相手の意見をしっかり聞くこと。そしてもう一つは、けっして相手を否定しないことです。

「話し上手は聞き上手」とは、よく言われることです。相手を尊重する気持ちがあれば、ごく自然に相手の意見には耳を傾けます。相手がどんな人であろうと、その人から学ぶことはいっぱいあります。たとえ子どもであっても、大人では気づかなかった新しい発見があったりするものです。


まずは相手の主張をじっくり聞いてから自分の意見を言うこと。これが鉄則です。一方的に自分の主張をまくし立てるだけでは、相手の理解を得られないどころか、反発を生む一因になります。

次に大切なのは、絶対に相手の主張を否定しないこと。場合によっては、その人自身を否定することにつながることもあるので注意が必要です。

「そんなこと言ったって、明らかに相手が間違っているときはどうすればいいの？　否定するしかないだろう」

そういうご意見もあるでしょう。でもちょっと待ってください。世の中に「絶対正しい」ということは、真に存在するのでしょうか？　世の中の出来事は、すべてが1＋1＝2となるような、そんな単純な数式で説明できるものばかりではありません。

坂本龍馬は、こんな名言も残しています。

「人の世に道は一つということはない。道は、百も千も万もある」

また「事実は一つでも、真実は無数にある」という言葉があります。世の事象はすべて多面的に起きていて、見方を変えれば解釈の仕方は無数にある。つまり、これが真実だと解釈する人の数だけ真実は存在する――この考え方に基づいて、ここは話を進めていきます。

見方が違うだけで、Aも正しいが、Bも正しい。場合によってはCも正しい、というのは実際によくあることです。みんな生まれた場所も違えば、育った環境も違います。生まれた国が違えば、文化も価値観も違います。ものの考え方が違って当然です。

ですから相手の主張と自分のそれが違ったとき、相いれないからといっていきなり〈否定〉から入ることは避けてください。

「君の言うことは正しいかもしれない。しかし僕が正しいと思うことも聞いてほしい」。このスタンスが大切だと思うのです。

「君の言うことは間違いだ。僕の方が正しいに決まっている。だから僕の意見に従ってくれ」。この言い方では、相手の反発心を刺激するだけです。話し合いが決裂するのは火を見るよりも明らかです。

詩人・吉野弘さんの『祝婚歌』に、こんな一節があります。結婚披露宴のスピーチで盛んに紹介されるのでご存じの方も多いでしょう。『吉野弘詩集』（ハルキ文庫）から引用します。

「正しいことを言うときは少しひかえめにするほうがいい」

夫婦がいつまでも仲睦《なかむつ》まじくいるための心構えをうたっています。もちろん一般の人間関係にも共通する教えだと思います。

このときの「正しいこと」とは、自分が主張する正しさであって、ひょっとしたら思い込みや偏った正しさであるかもしれません。あるいは「嘘をついてはいけない」「しっかり挨拶をしなさい」といった、ごく常識的な正しさであるかもしれません。

どちらにせよ、正しさを指摘された側は、指摘した側の態度いかんによって、素直に正しさを認める場合もあれば、その逆もあるということです。ましてや相手が職場の上司だったときなど、こちらの主張が生意気な〈上から目線〉としか映らなかったとしたら、そんな不幸なことはありません。

こうした事態を避けるためにも、まずは相手の意見を聞くこと。そして相手を否定しないこと。この二つのポイントをしっかり押さえるようにしてください。

要は、常に相手の立場でものを考えることを習慣化することが肝要なのです。

⑦「大事なのは感謝と恩返しだ。その二つを忘れた未来は、ただのひとりよがりの絵空事だ」

（TBSドラマ『半沢直樹』の堺雅人さんのセリフ）から学ぶ

☞

賀来賢人さん演じる部下に半沢直樹が語りかける言葉。このあと、「これまでの出会いと出来事に感謝をし、その恩返しのつもりで感謝をする。そうすれば、必ず未来が拓《ひら》けるはずだ」と続きます。流行語になった「倍返し」に語感の似た「恩返し」は、その後もたびたびセリフに登場し、ビジネスの核心をつく言葉としてSNSでも話題になりました。

感謝の言葉は、一人心の中でつぶやくだけでは伝わりません。素直に声に出してこそ相手に伝わるのです。

ポイント▼思いはすべて言葉にしよう

いつの頃からでしょうか？　素直に感謝の言葉を口に出せなくなったのは。

誰しも幼い頃は、人に親切にされたとき、何も考えずに「ありがとう」と言えたはずです。それが大人になってからは、感謝の気持ちを伝えることが気恥ずかしくなってしまった――そう感じるのは、私だけではないでしょう。

なぜでしょうか？　相手が家族だと照れくさいから。相手が年下の部下だとプライドが邪魔するから。

ちょっと待ってください。たとえ長年連れ添った夫婦でも、血のつながった親子でも、思ったことは言葉にしないと相手には伝わりません。ましてや他人同士の集まりである会社や学校などでは当たり前のことです。

日本には古くから「以心伝心」「阿吽《あうん》の呼吸」という言葉があるように、〈沈黙〉のコミュニケーションを尊ぶ文化が根づいています。

「言わなくてもわかるだろ。言われる前にちゃんとやっておけよ」。こんな理不尽な上司にあたったらたまりません。ただ我慢するしかないのでしょうか？

いいえ、我慢する前にやることがあります。叱責《しっせき》される前に「先手を打つ」のです。この場合の先手とは、あらかじめ「聞く」ことです。一つの仕事が区切りを迎えたとき、次に何をすればいいのか、上司の指示を仰ぐのです。

「そんなこと、いちいち聞くなよ。人に聞く前に自分で考えろよ」。時にこんなイヤミが返ってくるかもしれません。それでも「聞く」のです。わからないことは「聞く」しかありません。ただし聞き方にはコツがあります。

「先手を打つ」には、先を読まねばなりません。このあとの展開を予想した上で、次に何をすべきか指示を仰ぐのです。

「次のステップでは○○が必要だと思いますが、○○について調べておけばいいでしょうか？」。この聞き方であれば、イヤミな上司もさすがに肯定の言葉しか返ってこないはずです。

嫌いな上司とのコミュニケーションにこそ、言葉は力を発揮します。苦手な人には、どんどん話しかける。それが苦手な人を攻略する第一の方法です。

「イヤな奴に何で擦り寄らなきゃいけないんだ。俺は俺。結果を出せばいいんだろ」。こううそぶく人がいます。擦り寄るのではありません。コミュニケーションをとる努力をするのです。あなたが何も手を打たなければ、これからもずっと上司の態度は変わらないでしょう。だとしたら、あなたが変わるしかありません。イヤな相手だからこそ、こちらから近づいていく。その精神があなたを成長させるのです。

イヤな上司とは同じ空気も吸いたくない。その気持ちはよくわかります。それでも一言でも、二言でも、会話を成立させることを心がけてください。何か用事を言いつけられたとき、ただ「はい」の返事だけで終わらせるのではなく、「いま○○を抱えているので、そちらを片づけてから、あすの夕方にはご報告できると思います」。こんな一言を付け加えるだけで、今後、上司のあなたへの向き合い方は変わってくるはずです。

頻度はごくわずかですが、私はメールを送った相手に確認のため電話をすることがあります。「え、そんなの意味ないじゃん」。思わず驚き、笑っている方、多いかもしれませんね。でも、電話をするには理由があります。文字だけでは正確にこちらの意図が伝わらないことがあるからです。テキストからはくみ取れない微妙なニュアンスが、声で伝えることによって、言葉の表情を届けることによって、誤解を避けられることがあるのです。「さっき送ったメールの件ですが、もう一度読み返してみて、ちょっと誤解を招く表現がありました。念のため確認しますと……」

ビジネスではここまで周到な気配りが要求されることがあります。ほんの些細《ささい》な誤解によって、会社に大きな損害を与えてしまうことが実際に起こりえます。さらに正確を期すためには、電話だけでなく、相手のところまで足を運ぶことが必要な場合だってあるのです。

いまや私たちの仕事は、ＩＴ（情報技術）抜きでは語れない時代になりました。仕事だけではありません。プライベートも含めて、私たちの生活すべてがＩＴの利便性に支えられています。巷間《こうかん》にはあらゆるコミュニケーションツールがあふれています。こうした環境の中で、人と人とのふれあいが希薄になっているのも事実です。

人と人とが心を通わせる、真のコミュニケーションを成立させるのは、いつの時代も人が発する言葉です。心で思うだけでは伝わりません。言葉にして初めて、真のコミュニケーションは成立するのです。

⑧「ブルータス、お前もか」

（ジュリアス・シーザーが暗殺された時、裏切ったブルータスに向けて言い放った最期の言葉）から学ぶ

☞ 古代ローマの英雄、ジュリアス・シーザー（ユリウス・カエサル）は、その独裁ぶりを恐れた元老院議員たちの手によって元老院議場で暗殺されました。

全身をメッタ刺しにされたシーザーは、刃を向けてきた反乱者たちの中に、腹心の部下であるブルータスを見つけます。このときに放った一言は、シェークスピアの劇中にも登場し有名になりました。以来、親しい者からの裏切りを意味する格言として知られています。

ポイント▼ 名前の呼びかけで驚きが生まれる

「ブルータス、お前もか」――歴史的な背景は詳しく知らなくても、このフレーズだけは聞いたことがある、という方は多いでしょう。英雄シーザーの最期に、自分の名を呼ばれた当

のブルータスはどんな心境だったでしょうか?

本当にシーザーがこう言ったのか、史実としてはあいまいらしいですが、いついかなる場合であれ、会話の中で自分の名前が出てくると、正直ドキッとするものです。

こうした驚きを、何とかプラスに働かせたい、というのがこの節の主旨です。

仮に初めてお会いした方と、「○○さんはどうお考えですか」「○○さんのおっしゃる通りです」といったふうに、会話の中に相手の名前を入れてみてください。それだけで相手の会話への集中度は高まります。集中力だけではありません。好感度も間違いなくアップします。

これは心理学的にも「ネームコーリング効果」として証明されています。人は自分の名前を呼ばれると、一人の人間として尊重されている、自分に関心を持ってくれている、という意識が働いて、それが相手への好意につながるというのです。

逆に、相手に対して名前ではなく、「君は、どう思う?」「あなたはどうかしら?」といった問いかけ方をすると、互いの関係性に距離をとっている、という意識を持たれかねないといわれています。

かといって、のべつ幕なし相手の名前を呼びまくるのは、逆効果でしょう。

確かに、短い会話の中で頻繁に自分の名前が登場したら、「なれなれしい」「わざとらしい」の感情が先に立って、集中力や好感度が上がるどころではありません。何でも度が過ぎるのは考えもの。呼びかけの回数も適度になるよう注意したいものです。

一対一ではなく、大勢の中で一人の名前を挙げるのは、また効果的です。たとえば会議の席上で、「先ほど○○君の発言にもあった通り……」と、もちろん肯定的な意味合いに限りますが、上司から自分の名前が飛び出したとしたら、誰しも自分の発言の正当性が認められた、と高評価を実感するに違いありません。

私が中日ドラゴンズの番組を担当していたとき、当時の星野仙一監督は〈人心掌握術〉にとても長《た》けた人でした。

たとえば、こんなことがありました。

われわれ報道陣の前で、一人の選手をべた褒めするのです。その選手はけっして目立った存在ではありません。ゲームでヒーローになったこともありません。世間でも無名に近い選手です。ただ練習は人一倍熱心に取り組んでいます。その日頃のひたむきさを、その一点を強調して星野さんは褒めるのです。

報道陣は、テレビやラジオ、新聞など各種メディアで情報を伝えるのが仕事です。翌日には監督の談話として、その選手の生真面目な姿勢が紹介されます。面と向かって褒められたことはないのに、マスコミを通じて監督からの評価を知った選手の気持ちはどうでしょう？

容易に察することができますね。この選手はさらに熱心に練習に励み、かなりの確率で、後日、結果を出します。星野さんは時に日替わりで選手をべた褒めしました。これもいわば、間接的な「ネームコーリング効果」といえると思います。

一度会った人の顔と名前を忘れない人がいます。仕事上さほど親密な関係ではなかったのに、数年ぶりにばったり会って、「いやあ久しぶり。○○さん、お元気そうですね」。こう挨拶されたら、うれしく思わない人はいないでしょう。ああ、自分のことを覚えていてくれたんだ、それが素直な反応です。このところ何事も忘れっぽい私としては、記憶力抜群の人がうらやましくて仕方がありません。

ホテルやゴルフ場のフロント、飲食店の接客係などで、〈神業〉レベルでお客さまの顔と名前を覚えているプロフェッショナルがいます。どうやって覚えているのか、私も真剣にその記憶術の謎に迫ったことがあります。結局は企業秘密との理由で教えてはもらえませんでしたが、ひたすら顔と名前を関連づける作業を繰り返すことだけは間違いないようです。

元来飽きっぽい性格の私にも、一つ自慢できることがあります。それはこの26年間、一日も欠かさず「10年日記」を書き続けていることです。「10年日記」とは、一ページが10等分に区切られていて、同じ日付の出来事を10年間、同じページに記入していくものです。つまり、きょうの出来事を書きながら、昨年のきょうはこんな日だった。一昨年は……、3年前は……、というふうに、10年分をひと目で見渡すことができるという、アナログではありますが、なかなかの優れものです。

私は仕事柄、結婚披露宴の司会を数多く担当していますが、「10年日記」を見ながら、かつての新郎新婦に連絡をとることがあります。「結婚5周年おめでとう」。こうしたメールにはすぐに返信があって、旧交を温めることにつながります。

あなたがいま苦手な上司や先輩がいるのなら、ぜひ「ネームコーリング効果」を試してみてください。課長、部長といった役職がある場合は、役職で呼ぶのがサラリーマンの常識です。肩書のない先輩だったら名前で呼びましょう。

苦手な人を避けるのではなく、ことあるごとに「○○部長！」「△△さん！」と言って、自分から飛び込んでいくのです。人懐っこい奴だなあ、と思われたらしめたもの。自分を変えて、かわいがられる人を目指しましょう。

⑨「タイトルに使われやすい〈強めのワード〉に注意せよ」

（自民党の失言防止マニュアル）から学ぶ

２０１９年５月、政治家の失言が相次ぐ中で、自民党は議員たちに「失言防止マニュアル」を配付しました。

マニュアルには、政治家は常に発言がメディアで取り上げられることを意識して、インパクトのあるワード、たとえば政治信条やジェンダー（社会的性差）などの発言には注意すべき、と書かれています。その内容はいかにも初歩的で、子どもならいざ知らず、政治家の皆さんに言葉選びのマニュアルが必要なこと自体が、何とも情けなく思えてきます。

ポイント▼ 的確な言葉選びは気配りから生まれる

ざっと思い出すだけでも枚挙にいとまがありません。以下に掲げるのは、与野党を問わず、どれも政治家の皆さんの「あっ！」と驚く発言です。

「（東日本大震災の被害に関して）まだ東北で良かった。首都圏に近かったりすると（被害額は）莫大な額になった」

「（少子化問題に関連して）子どもを最低3人くらい産むようにお願いしたい」

「（北方領土問題について）戦争をしないと、どうしようもなくないか」

「（性暴力被害者の相談事業に関する説明を受けた際に）女性はいくらでも嘘をつけますから」

あらためてこうして並べてみると、怒りを通り越して、こういう人たちに国の舵取《かじと》りを任せておいていいのか、ただただ国の行く末が不安になってきます。

こうした国民の不安を感じとってか、自民党は2019年夏の参院選を控えて「失言防止マニュアル」を作成し、党内に配付しました。

マニュアルには、失言や誤解を防ぐポイントが並べられ、その中に、自らの発言をコントロールすべきパターンが五つ挙げられていました。そこで驚いたのが、真っ先に「政治信条に関する個人的見解」と記されていたことです。正直、開いた口がふさがりませんでした。

政治家にとって「政治信条」は、何にもまして重要な信念であるはずです。信念とは、それが正しいと固く信じる自分の考えです。自分の信じるところを発言する際に、「失言しないように、どうか十分に気をつけなさいよ」というのは、自ら政治家としてのレベルの低さを露呈しているとしか考えられません。

言葉選びは、どんなに繕《つくろ》ってみても、その人の考え方、生き方をさらけ出します。普段考えていること、頭の中にあることだからこそ、言葉となって表現されるのです。考えてもいないことが、言葉になることはありません。

話をすればするほど、言葉選びには、その人らしさがにじみ出るものです。つまり失言とは、その人のすべてが言葉に表れてしまうということ。失言を重ねる人は政治家にふさわしいのかどうか、その資質が問われる所以です。

失言防止のためには、常に的確な言葉選びが求められます。言葉選びの判断は、そもそも誰かに教えてもらうことではありません。マニュアルの存在そのものが滑稽《こっけい》に思えるのは、私だけではないでしょう。

政治の世界ならずとも、私たちの生活の中でも、ちょっとした失言がきっかけで、人間関係にひびが入ることがあります。

失言を防ぐには、発言のスピードも考慮する必要があります。慌てることはないのです。ひと呼吸おいて、ゆっくり話そうという意識を持つだけで、失言は減らせます。

そして一番大切なことは、聞き手に対する気配りです。どんなシチュエーションであっても、自分の言葉選びによって聞き手を傷つけることはないか、不快な思いをさせてしまうことはないか、最大限の配慮をして、その場にもっともふさわしい言葉を選ぶということです。的確な言葉選びは、直接、リスクの回避につながります。

たとえば夫婦ゲンカの場合です。無職の夫が日がな一日、何もしないでぼんやり過ごして、夕食だけは食欲旺盛、もりもり食べていたら、妻としてはイヤミの一つも言いたくなりますよね。

「仕事もしないで、よくそんなにおいしそうに食べられるわね」

この一言で、普通は夫がキレます。

「お前、誰にモノ言ってるんだよ。それが亭主に対する言い方か！」

この返しの言葉で、夕餉《ゆうげ》の食卓は修羅場と化します。DV（ドメスティック・バイオレンス）が飛び出すかもしれません。

ではこの場合、夫の立場で、修羅場を回避する〈魔法の言葉〉はあるのでしょうか。

こんなのはどうでしょう。

「仕事もしないで、よくそんなにおいしそうに食べられるわね」

夫は一瞬箸をとめます。しかし顔色も変えず、妻に向き直って、にっこりしながら、こう答えるのです。

「お前がつくってくれたメシで、まずかったことなんて一度もないよ」

これでは、ケンカに発展しようがないですよね。仲直りは必至です。

円満解決法のコツはただ一つ。相手がイヤがること、傷つくことを言わないことです。当たり前のことですよね。

それでは最後に、職場で苦手な上司と険悪なムードになったときの言葉選びです。

「もう、何度も同じこと言わせるんじゃねえよ！」

仕事のレクチャーを受けているうちに上司がキレちゃいました。さあ、どうしますか？

自分もカーッとなったら負け。返事もせずにプイと横を向いてしまっても負けです。

では、こんなのはどうでしょう。

「（ちょっと間をおいて）あと一回だけお願いします。私はこの先、絶対〇〇さんの役に立つ人間になりますから」

自分の仕事に一生懸命に取り組む信念、そして相手を不快にさせない気配りが、その場にもっともふさわしい的確な言葉選びにつながります。マニュアルなど必要ありません。

⑩「職場に好きな人を一人つくると、仕事に行くのがすごく楽しくなるんよね」

（明石家さんまさんの名言）から学ぶ

40年以上にわたってお笑い界の第一線で活躍を続ける明石家さんまさん。人と交わるほどに輝きを増す魅力の秘密は、底抜けの明るさにあります。誰もがうらやむ明るさを身につける秘訣が、この名言に凝縮されています。

どんな職場でも、一つくらいは楽しいことが見つかるはずです。楽しいことが見つかればば「やる気」が出ます。いつも明るく朗らかでいると、仕事の効率も上がります。あなたの「話し方」で周りを目いっぱい明るくしましょう。

ポイント ▼ 楽しいことだけ考えよう

「君、仕事は楽しいかね」

私が新米アナウンサーだった頃、顔を合わせる度に、こう尋ねてくださった方がいます。芸能界の大御所、森繁久彌さんです。

「はい、楽しいです」と私が答えると、決まってこう続けるのです。

「甘いな。仕事は遊びじゃない。仕事である以上、楽しいはずがない。楽しいと思えるうちは、君はまだ本当の仕事をしていないということだ」

森繁さんの教えは、こういうことです。

そもそも仕事とは、自分の生きる時間を削って報酬を得るものだから、つらくて苦しいものだ。でも苦しいことばかりでは長く続けられない。はて、どうするか。どんなに厳しく苦しい仕事でも、探せば一つくらいは楽しいことがあるはずだ。まずは必死になって楽しいことを見つけなさい。見つけられたら、次に、その楽しいことだけを考えて仕事をしなさい。そうすれば日々明るく仕事ができるようになる。

どうでしょう。逆説的ではありますが、さんまさんの考え方とまったく同じです。基本は〈プラス思考〉です。

いま仕事で悩んでいるあなた、とりあえず自分のことだけ考えてください。どうすれば楽しい毎日を送れるか。他人のことなんか考える余裕などなくて当たり前です。まずは自分が楽しく、満足できることだけを実行していけばいいのです。

生まれつき陽気で明るい性格の人はいます。でも自分はそうじゃない、だから悩んでいるんだ、そう反論する人もいるでしょう。しかし思い悩むだけでは答えは出ません。意識して、楽しいことだけを考える、何事も楽しいと思える考え方を習慣づけることが肝要です。

習慣は人の性格形成に大きな影響を与えます。規則正しい生活を送ることによって、人は勤勉さを学びます。大きな声で挨拶することも、自分のミスを素直に認め、潔く謝罪することも、人は小さい頃からの習慣で学んできたはずです。

いまからでも遅くはありません。どんなことにも、普段から意識して、とびっきりの笑顔で楽しく元気にふるまうことを習慣づけるのです。明るく朗らかであれば、仕事ははかどります。楽しんで働くから、いい結果が出るのです。

明るい職場には、必ずムードメーカーがいます。ムードメーカーとは、その場にいるだけで、周りの雰囲気を明るくできる人のことです。

野球でいえば、実力はそれほどでもないのに、ベンチでいつも明るく声を出している人です。もちろん声は出さずに、いつもプレーで結果を出すムードメーカーもいます。真の実力者ですね。自分ならどちらが容易に務まるか、ちょっと考えてみてください。よっぽど自分に自信がある方を除いて、手っ取り早いのは前者でしょう。

自分が楽しくあるためには、職場も明るくなければなりません。いまあなたの職場の雰囲気が暗いと感じるなら、あなたがムードメーカーになるべきです。他人は簡単に変わってはくれません。あなた自身が自分を変えて、ムードメーカーになるべく努めるのです。

周りを明るくする「話し方」には、三つのポイントがあります。

＊相手を褒める

「君って、すごいねえ」「びっくりした。僕には到底できないよ」「もう、完璧だよ」

とにかく人は褒めるべし。褒められて悪い気がする人はいません。ただし、わざとらしい、とってつけたような見え見えの褒め言葉は禁物です。そして褒めるのは結果についてだけではありません。結果を出すまでのプロセスを知った上で、それまでの努力を褒めるのです。すると相手も、この人は自分のことをしっかり見てくれているな、と喜びが倍加されます。相手を褒めることによって、周りにプラス思考が植えつけられていくのです。

＊人の悪口を言わない

人をけなしたり、悪口を言ったりすることは、あなたにとっても周りの人にとってもマイナス思考につながります。不平不満も極力、口に出さないこと。あなたへのマイナス評価とならないように、〈相談〉という形で周りに弱音を吐くことはＯＫです。相手は相談されたということで自尊心が満たされます。併せてあなたも楽になれば、双方にメリットがあります。ついついしがちな自慢話にも気をつけましょう。自慢話は誰も喜びません。自慢は、実は自信のなさの表れなのです。

＊何事もポジティブに笑いとばす

ミスをして落ち込み、暗くふさぎ込む。そんなマイナス思考のスパイラルに気をつけましょう。何事も前向きに考える習慣を身につけることが大切です。

一番避けたいのは、悩みを一人で抱え込んでしまうことです。誰でもミスはします。自分のミスは思い切って公開してしまうことをお勧めします。理想は、自分の失敗談を「すべらない話」として面白おかしく話せる人です。そんな人の周りには、たくさんの人が集まってきます。

楽しい職場は笑顔が絶えません。明るい職場は、仕事の効率も上がります。快活な「話し方」は、自分だけでなく周りの人も幸せにするのです。

第2章

「話し方」ひとつで、あなたの周りに味方が増える

⑪「48グループオタクの皆さん、一つ言わせてください！　自信をもって、オタク人生を、つらぬいてください！」

（AKB48・STU48メンバー岡田奈々さんのスピーチ）から学ぶ

2018年のAKB48世界選抜総選挙で、岡田さんは誰もがNGと考える「オタク」というワードをチョイスして、ファンへの感謝を伝えました。その瞬間、超満員のナゴヤドームは爆笑と歓声の渦に包まれ、SNSでも大きな反響を呼びました。よそ行きではない親しみを込めた呼びかけが、一気にアイドルとファンの距離を縮めました。

私たちの日常生活もプレゼンの連続です。日頃の「話し方」を工夫するだけで、あなたの主張に共感する人を増やすことができるのです。

ポイント▼ プレゼン力が周りの人の共感を呼ぶ

プレゼンといえば、みなさん何を思い浮かべますか？

新商品や新企画の提案・発表を行って、他社（者）との競合の結果、一喜一憂する場面、という方が多いでしょう。確かに世に出ている〈プレゼン上達本〉の多くは、その類いのハウツー本です。内容は、ビジュアルメディアでいかに聞き手の視聴覚に訴えるか、パワーポイントの表やグラフ、デザインをいかに効果的に活用するか、そのノウハウにページ数を割いたものが多く見受けられます。

しかしプレゼンが行われるのは、必ずしもこうしたビジネスシーンばかりではありません。

プレゼンの定義はさまざまありますが、私は「相手に行動を起こさせる目的をもって、情報を伝える行為全般を指す」と考えています。

そう考えて周りを見わたすと、私たちの日常はプレゼンの連続です。街頭で見かける選挙演説はもちろん、署名活動やティッシュ配りもプレゼンといえるでしょう。

大人だけではありません。子どもの頃から、誰しもプレゼンとは無縁ではなかったはずです。たとえば学校生活。小学校から大学まで、さまざまな宿題や課題の発表も、思えばプレゼンの原点といえるでしょう。また観点を変えて、学校で先生が教える行為そのもの、つまり授業自体がプレゼンという考え方もできます。

そのほかにも、面接試験であれ、合コンであれ、あるいは引っ越し先のご近所さんへの挨拶も含め、初めて会った人たちの前での自己紹介は間違いなくプレゼンです。

私の父は、87歳で亡くなるまでの2年間、サ高住（サービス付き高齢者向け住宅）に入居しました。このとき父から「近く歓迎会が開かれるらしい。どんな挨拶をしたらいいのか、自己紹介のコメントを考えてくれ」と、頼まれたことがありました。ああ、人生いくつになってもプレゼンとは無縁ではいられないんだ、そう感じたことを覚えています。

また宴会での挨拶、乾杯の発声、三本締めの音頭などもプレゼンに含まれるでしょう。さらに家庭でも、ご主人の奥さまへの小遣い増額の交渉、子どもたちの両親への欲しいもののアピールだってプレゼンの一種と考えられます。

このように、われわれは人生のあらゆる場面でプレゼンの機会に遭遇し、その都度、相手から満足のいく反応を得ようと努めているわけです。

それでは、より効果的なプレゼンとはどういうものでしょうか。

その際のポイントは、この一点に絞られます。

一番伝えたいことは何なのか？

皆さん、こんな経験はありませんか。会議の席上で長いスピーチを聞いたが、結局、何一つ記憶に残っていない――そんなケースは、往々にしてプレゼンター自身が要点を絞り込めていないことが多いです。

言いたいことがありすぎて、あれもこれもいろんなエピソードを詰め込みたくなる気持ちはよくわかります。しかし、プレゼンター自身が整理できていない内容を、聞かされる側が理解できるわけがありません。結局、言葉数が多いだけで何も伝わらない、という最悪の結果になりかねないのです。

限られた時間で、一番伝えたいことは何なのか？　プレゼンの目的に沿って、まずその点を明確にしなければなりません。

たとえば選挙演説の場合、目的は有権者に投票してもらうことです。そのために一番伝えたいこと、それは候補者の名前でしょう。もちろん選挙の種類・制度によっては、併せてスローガンのアピール度が重要となってきます。

署名活動では、署名の目的と、一番伝えたいことが重なります。たとえば「○○法成立に反対！」とか「アイドルグループ○○○○解散に反対！」のように、その目的はスローガンに凝縮されています。

ティッシュを配る目的は〈宣伝〉です。一番伝えたいのは商品名やスポンサー名ですから、スポンサーが配り手に求めるのは、これらを大きな声で連呼することです。よく目にするのが、無言で配布している光景です。これでは宣伝効果が薄れることは言うまでもないでしょう。

能弁と多弁は違います。能弁とは、言葉を巧みに使いこなす話し上手を意味しますが、多弁は単に口数が多いことです。ただのおしゃべりでしかありません。

能弁な話し手は、伝える目的と伝えるべき内容をしっかり把握しています。それが明快な〈キーワード〉や〈キャッチフレーズ〉を生み出し、それらを繰り返しアナウンスすることによって、聞き手の共感を呼ぶことができるのです。

ＡＫＢ・ＳＴＵの岡田さんが一番伝えたかったのは、ファンへの感謝です。「アイドルはオタクの皆さんに支えられている。オタクあってのアイドル」との思いから、あえて「オタク」という〈キーワード〉をチョイスし、それがスピーチ（プレゼン）の成功につながりました。

常に目的に沿った〈キーワード〉を模索することに努め、的を射た話し手となることを目指してください。

⑫「クラスター 集団感染、オーバーシュート 感染爆発、ロックダウン 都市封鎖、ではダメなのか。なんでカタカナ？」

（河野太郎衆院議員のツイート）から学ぶ

2020年3月22日、河野防衛相（当時）は自身のツイッターで、新型コロナウイルスの情報がやたら横文字の専門用語で発信されることに疑問を呈しました。このツイートには24万超の「いいね」がつき、多くの人の共感を得ました。どんな場面であれ、中身が難解であればあるほど、話し手はわかりやすい表現を心がける必要があります。

言葉遣いだけではありません。話の組み立て方も同様です。できるだけシンプルな構成と内容でなければ、到底、聞き手の理解を得られないのです。

ポイント▼ 難しい話こそ、わかりやすく伝えなさい

プレゼンの目的は、相手に自分が望む行動を起こしてもらうことです。こちらの主張を理解してもらうだけではダメです。行動に移してもらって初めて成功といえるのです。しかし人は、よほどの説得材料がなければ動きません。

そのためのテクニックの一つに「プレゼンにストーリーをつくれ」があります。

私も一時期、このストーリーづくりに四苦八苦したことがありました。でもある時、一つの気づきで、すっと胸のつかえが下りたのです。

それまでの私は、少しでも多くの要素をストーリーに盛り込もうと必死でした。原稿の準備段階から、相手に聞いてもらいたいこと、自分が主張したいことが、次から次へと湧き出してきたものです。しかしたくさんのことを盛り込もうとすればするほど、ストーリー構成に頭を悩ませたのも事実です。そして実際の場で、その盛りだくさんの内容を熱っぽく語れば語るほど、聞き手の皆さんから集中力が失われていくのがはっきりわかりました。

そんなとき知ったのが、アップルの創業者であるスティーブ・ジョブズのプレゼンの流儀です。プレゼンの名手とうたわれた彼が、一にも二にも心がけたのは、ただ〈シンプル〉であることだったといいます。

私自身、実際に聞き手の方たちから手ごたえを感じるようになったのは、この〈シンプルな構成〉に徹するようになってからのことです。

私がたどり着いたシンプルな構成とは、次のフォーマットです。

1．一番伝えたいことを強調する
2．その理由を説明する
3．具体的な例を挙げる
4．一番伝えたいことを繰り返す

え、これだけ？　皆さんの驚きの声が聞こえてきそうですね。そう、たったこれだけでいいのです。

それでは実際にケーススタディです。あなたのご家庭で、あなたの小遣いの増額について奥さまと交渉する場合で検証してみましょう。

1．一番伝えたいことを強調する
月額3万円の小遣いを、５０００円増額して3万５０００円にしてほしい。

2．その理由を説明する

現在の小遣いの使い道を費目別に説明する。

＊昼食代1万円（1日500円×20日）

＊交際費1万円（食事会5000円×2回）

＊理髪代3000円

＊趣味・娯楽費7000円（DVD・書籍・嗜好《しこう》品など）

このほかの被服費や通信費（携帯電話料金）を家計から支出してもらっているのは、とてもありがたい。現在の額でなんとかやりくりしているが、臨時の出費（歓送迎会など）があったときは赤字となり、まったく余裕がないのは事実。そんな状況下で、今回、新たな使い道ができた。それが増額の理由だ。

3．具体的な例を挙げる

新たな使い道とは？　実は二つある。そして二つとも自分のためだけではない。

一つ目は、会社の後輩たちとのコミュニケーションを深めること。現在は月に2回程度の食事会だが、後輩たちからはさらに〈相談〉の場を増やすようせがまれている。せめて2カ月に1回のペースで増やしたい。
そしてもう一つは、君のためだ。これまで結婚記念日の外食は家計から支出していたが、これからは僕に任せてほしい。口に出すことではないが、サプライズも僕の新たな楽しみになる。

4．一番伝えたいことを繰り返す

これまで以上に節約には心がけるが、新たな使い道をぜひ理解してほしい。月額3万円の小遣いを、５０００円増額して3万５０００円にしてもらいたい。

どうでしょうか。構成も内容も、言葉遣いも、いたってシンプルだとは思いませんか。でもこれだけで、間違いなくすべてを言い尽くしています。

プレゼンに限ったことではありません。何事も日頃からシンプルな思考を習慣にしていると、本質をつかんだ「話し方」ができるようになるのです。

⑬「書いて覚えろ。頭と目と手を使うから忘れない」

（著者が高校時代に通っていた塾講師の教え）から学ぶ

「書く」という作業には二つの効用があります。覚えることと、気づくことです。
まずはメモをとることを習慣にしましょう。手書きのメモとじっくりにらめっこしていると、どんどんイメージが膨らんで思わぬアイデアが浮かんでくることがあります。時にはアナログ思考が想定外の成果をもたらすのです。ぜひお試しください。

ポイント▼ 手書きのメモがアイデアを生む

ここではあなたのプレゼン原稿作成のお手伝いをします。まずは紙とペンを用意してください。

繰り返しますが、構成は〈シンプル〉がベストです。79ページのフォーマットに沿って、4項目を書き出してください。簡潔にワンセンテンスにまとめることがポイントです。たとえばこんなふうに。

1．小遣いを増額してほしい
2．理由は、新たな使い道ができたから
3．二つの新たな使い道を具体的に説明
4．ぜひとも小遣いの増額をお願いしたい

たったこれだけのことで、自分がプレゼンしたいことがすっきり整理できたのではないでしょうか。具体的なエピソードや細かな枝葉はあとで付け加えればいいのです。

ここでもう一つ肝心なのは、紙にペンで書くという作業です。かく言う私も、日常のスケジュールはスマホで管理していますし、この原稿もノートパソコンで書いています。外出先で思いついたことはスマホにメモする習慣もあります。デジタルデバイスのない生活なんて到底考えられません。しかし「書く」ことの効用について、これまで何度も実感してきたのも事実です。

長文を推敲《すいこう》するのは断然パソコンが優れています。文章を切り取り、あるいはコピーし、貼り付ける。その簡便さはあえて説明するまでもないでしょう。しかし私の場合、パソコンに向かう前段階で、手書きのメモから浮かんできたアイデアに助けられたことが何度もあります。「書く」という作業が脳の活性化を促すことは間違いないと思います。

何より「書く」ことで要点が整理できますし、じっとメモとにらめっこしていると、あれやこれや、いろんなイメージが湧いてきます。そのイメージを思いつくままに単語（造語も可）にしてアットランダムに書き出していくのです。最初はモヤモヤした抽象的なイメージでしかないのですが、意味のつながらない単語の羅列を凝視しているうちに、ふっとアイデアが湧き出てくることがあります。

ここで大切なことは、思いついたらすぐに書きとめること。走り書き、なぐり書きでかまいません。あとで読み返してみて、思わぬヒントにつながったことは何度もあります。

話を戻します。

構成はシンプルでも、いやシンプルだからこそ、終始、聞き手を飽きさせない工夫が必要です。書き出した4項目の骨組みにどう肉付けすればいいのか、順に見ていきましょう。

１．一番伝えたいことを強調する

プレゼンの冒頭では、インパクトある〈つかみ〉が重要です。この場合、こんなイントロはどうでしょうか。

どんなものも「価格」と「価値」は違うと思う。だから僕は日頃から、誰かがつけた値段にとらわれることなく、僕自身が価値あると判断したものだけを手に入れたいと思っている。今回は小遣いの値上げのお願いだ。いまより５０００円値上げしてほしい。この値上げ幅だが、僕は金額以上に価値ある使い道を考えている。ぜひ、僕の願いを聞いてほしい。

いかに聞き手の興味を引くか？　どんなスピーチであっても〈つかみ〉は大切です。最初の一言で身を乗り出させる、それくらいの〈つかみ〉が決まれば、もうそのスピーチは成功したも同然です。

２．その理由を説明する

この部分が、プレゼンの本質です。こちらの要望を理解してもらい、納得してもらい、さらに共感を得て初めて、相手は行動を起こしてくれます。

最終的に相手の行動にまでつながる、当方への理解や納得、共感を得る条件は、こちらの説明が論理的（ロジカル）であるかどうか、つまり筋道の立った説明になっているかどうかです。

論理性を裏づける一つの手段は、数字を使うことです。客観的事実に基づく数字は、それだけで説得力をもちます。ここでは深く触れませんが、いかにビジュアル的に数字（グラフや図表など）を見せるかが、プレゼンの中身の濃さ、ひいては説得力につながっていきます。

3．具体的な例を挙げる

具体例を示すことは相手の理解を深め、また客観的に相手を納得させる手段・方法でもあります。

とりわけ効果的なのは、「ＹＯＵ（あなた）」を主役にすることです。このお願い（提案）によって得をするのは当方だけではない。もし、このお願いがかなえられたとしたら、「ＹＯＵ」の満足度もぐーんとアップしますよ――すべては「ＹＯＵ」のために、というメッセージが、相手の共感を呼ぶのです。

選挙演説では、私に投票したら「ＹＯＵ」の生活にはこんなメリットがある。署名活動では、この法案が可決されてしまったら「ＹＯＵ」の生活にこんなデメリットがある。ティッシュ配りでは、宣伝スポンサーの商品は「ＹＯＵ」の生活をこんなに豊かにする。そう訴えることが、聞き手（受け手）の皆さんの共感につながるのです。

そう、なんといっても、プレゼンはプレゼント（贈り物）なのですから。

４．一番伝えたいことを繰り返す

「重要なポイントを繰り返す」ことは、基本中の基本です。すでに聞き手側には、当方の主張、その理由、そして具体例が刷り込まれています。そして最後にもう一度、結論としての当方の主張、つまり一番伝えたいことを繰り返して、プレゼンを終了します。

これでプレゼン原稿はほぼ完成です。そう、「ほぼ」です。あと一つだけ、プレゼンの成否につながる決定的要素を加えれば、もう完璧です。

その決定的要素とは？　次の節で考えましょう。

⑭「新型コロナウイルスは、私たちがどれだけ弱い者であるかと同時に、私たちが協力しあえば、どれだけ強くなれるかを教えてくれている」

（メルケル独首相の国民へのスピーチ）から学ぶ

☞

2020年3月、新型コロナウイルスの感染がヨーロッパで急拡大する中、感染者数はイタリアやスペインに次ぐ数字ながら、ドイツの致死率の低さが注目を集めました。理由の一つに、国民の政府への信頼感の厚さが挙げられます。ヨーロッパ最大規模の検査と隔離策、企業の従業員解雇の回避策など、スピード感ある対策が結果に表れました。そして何より、メルケル首相の語りかけが国民の心に響き、それまで低迷していた支持率の急上昇につながりました。

ポイント▼「印象度」が人の心を引き寄せる

プレゼンの成否を左右する決定的要素について、プレゼンの聞き手側の立場で考えてみましょう。話し手の提案を受け入れて、自らの行動に移す、その最終判断を決定づける基準は何でしょうか？

もちろん「ＭＥ（わたし）」にとってのメリットが最優先されるのですが、時にはそのメリットをも上回る基準があることに気づきました。

それはプレゼン直後の聞き手の「印象度」です。たとえば複数のプレゼンを聞き終わったあと、どれも構成や内容ではそれほど差は感じなかったが、なぜか印象だけはズバ抜けていた――誰しもそんな経験はあるのではないでしょうか。

メルケル首相の非常時のスピーチで考えてみます。

ドイツのコロナ対策は厳しいものでした。公共施設や飲食店の閉鎖。プライベートな集まりの禁止（罰則あり）。三人以上の外出の禁止。そして移動の制限など。

メルケル首相は旧東ドイツの出身です。東西ドイツの統一後、自由に往来できる民主化の喜びに触れて、こう訴えました。

「旅行や移動の自由を苦労して勝ち取った私のような人間にとって、自由を制限することは絶対に必要なときだけ正当化されます。それがいまです。人命を救うために避けられないことなのです」

自らの体験を踏まえて危機感を訴え、国民の協力を求めました。

このスピーチの「印象度」のポイントは、不自由さの「共有」と、ともに乗り越えようという「共感」です。「共有」と「共感」が為政者と国民の間の垣根を取り払い、致死率の抑制と支持率の上昇という結果につながったのです。

「印象度」を左右する要素はいくつもあります。その中の一つに、間違いなく「感動」は挙げられると思います。

私は仕事柄、業種・内容は問わず、講演会や公開プレゼンなどの場には積極的に出かけるようにしています。これまでの聞き手としての経験の中で、何年経っても忘れられないプレゼンがあります。

もう十数年前、ある有名外資系ホテルの人事担当者が行ったプレゼンもその一つです。内容はリクルーティングでした。就職活動の学生たちを対象に、さまざまな業種の人事担当者がプレゼンターを務め、ぜひわが社へ来たれ、と熱弁をふるっていました。

居並ぶ各社のプレゼンターの中で、なぜそのホテルの方のプレゼンだけを強く記憶しているのか？　細かい数字やデータは忘れましたが、いまでも〈プレゼン構成〉の1と3は、はっきり覚えています。

1. 一番伝えたいことを強調する

当ホテルのコンセプトは「満足を超える感動のおもてなし」です。仕事で「感動」を体験したいという皆さん、ぜひ当ホテルで働いてみませんか。

3. 具体的な例を挙げる

より詳しく当ホテルを知っていただくために、どんな人たちが働いているのか、具体的なエピソードをいくつかご紹介します。

まずは、ある女性社員の採用面接でのエピソードです。なぜ当ホテルを志望したのか、その動機を面接官が尋ねたときのことです。

「私の父は宅配便のドライバーでした。主に企業を対象に、一人で重い荷物を届けるのが仕事でした。仕事の一番の喜びは、無事に荷物を届けたときに『ありがとう』と言ってくださるお客さまのお礼の言葉だ、と父はいつも話していました。

宅配便の仕事は季節との闘いでもあります。真夏はうだるような暑さの中、真冬は凍える

ような寒さの中、『ありがとう』の言葉だけが、つらい仕事の支えだったそうです。

父の荷物の届け先には多くのホテルもありました。そしてただ一つのホテルだけが、『ご苦労さま』の言葉とともに、真夏には冷たいお茶を、真冬には温かいお茶を、必ず出してくださったそうです。そのホテルが、御社でした。

私が小さい頃から、父は何度も『あのホテルのサービスは本物だ。わずか数分しか滞在しない人間に、あれだけ親身にサービスしてくれるホテルは他にはない。いつか家族みんなで、あのホテルに泊まりにいこう』。それが口ぐせでした。

残念ながら一度も宿泊したことはありませんでしたが（笑）、私はホテルに泊まりたいというより、毎日家族のために頑張ってくれている父のことを大切にしてくれた御社に、心から感謝しました。そして御社で働くことが、私の小さい頃からの夢になりました」


どうでしょうか？　私自身いまでも忘れられない、心を揺さぶられたエピソードです。

「感動」はテクニックではありません。プレゼンター自身が感動したエピソードだったからこそ、聞き手であった私の記憶にも深く残っているのだと思います。

こうして実際に心に残ったエピソードを一つ盛り込むことで、聞き手の「印象度」がぐっと高まるのは間違いないと思います。

それにしてもこのエピソード、女子学生の面接でのコメント（プレゼン）が出色《しゅっしょく》の出来ですね。

1．御社に入社したい
2．理由は、父のエピソードから
3．そのエピソードを具体的に説明
4．御社に入社することが小さい頃からの夢だった

こちらもぜひ参考にしてください。

15「第一印象に二度目のチャンスはない」
（ウィル・ロジャースの名言）から学ぶ

ウィル・ロジャースは、サイレント映画時代のアメリカの俳優・コメディアンです。のちにコラムニスト・社会評論家としても活躍しました。

この名言は「初対面の印象が悪ければ、二度と挽回できる機会はない」と、第一印象の大切さを説いています。初めて会ったその瞬間から仲間（味方）意識を感じてもらうためには、自己紹介が重要なポイントになります。

今後の付き合い方を大きく左右する効果的な自己紹介について考えます。

ポイント▼自己PRはいまから準備しておこう

学校で、会社で、あるいはママ友の集まりで、あらゆるコミュニティの場で、自己紹介は避けて通ることのできないプレゼンの一つです。

まず何を伝えればいいのかがわからない、という方が多いかもしれません。確かに仕事のこと、家族のこと、趣味のこと、何をどれだけ盛り込めばいいのかがわからない、というのは素直な感想でしょう。

結論から言います。先述したように、あれもこれもとたくさん詰め込みすぎるのは、プレゼンとして明らかに失敗です。結局、一つも印象に残らない散漫な自己紹介になってしまいます。

自己紹介の場合も、プレゼンの〈シンプルな構成〉にならえばスムーズにまとめられます。

1. 一番伝えたいことを強調する

自分の名前（フルネーム）です。インパクトある〈つかみ〉もあらかじめ準備しておきましょう。もちろん〈つかみ〉は、どんな場であるのかによって使い分けが必要です。ビジネスの場もあれば、宴席など格式ばらない場もあります。ユーモアは大切ですが、皆さんはプロの芸人ではありません。無理は禁物です。人を笑わせようという小細工が空回りすると、かえって不真面目な印象を与えてしまいます。くれぐれもご注意を。

＊営業の取引先で

座右の銘は「朝の来ない夜はない」。〇〇〇〇会社の〇〇〇〇と申します。

＊合コンの場で

この世に生を受けて26年、女性の友だちは一人もいません。でも男友だちはいっぱいいます。○○○○と申します。

＊ママ友の集まりで

○○○○と申します。息子の○○は1才と10カ月で、最近ようやくママとまんまを言い分けられるようになりました。息子も私も、まだこちらには親しい友だちが一人もいません。どうぞよろしくお願いします。

2. その理由を説明する

＊営業の取引先で

どんなに長く、暗い闇夜が続いても、必ず夜は明け、明るい朝がやってきます。どんなにつらいことがあろうとも、とにかく辛抱、我慢することには自信があります。

＊合コンの場で

なぜ女性に縁がないのか、それは中学・高校と男子校だったからです。先生も全員、男でした。保健室に一人だけ女性がいましたが、その方にはお孫さんが二人いました。大学は工学部。現在の職場も土木関係なので、周りは男ばっかりです。ですから女心はよくわかりません。でも理解しようとする気持ちだけは誰にも負けません。

＊ママ友の集まりで

主人の転勤で、先日、○○県から引っ越してきたばかりです。こちらの土地は初めてで、日常生活でも戸惑うことばっかりです。一日もはやく親しいお友だちができたらと願い、この会に参加しました。

3．具体的な例を挙げる

気をつけたいのは、けっして自慢話にならないようにすることです。初めて会った人の自慢話に共感を覚える人はほとんどいません。いや、一人としていないと思います。むしろ失敗談のほうが親しみを感じてもらえるでしょう。もちろん、いまだから笑って話せる失敗談に限りますが……。この失敗談のあとに、さらっと自分の特技に言及し、自己ＰＲに持ち込む高度なテクニックもあります。

＊営業の取引先で

前の部署での失敗談です。取引先の幹部の方を、私が運転する車でゴルフ場までお送りしたんですが、高速道路で下りるインターを間違えてしまい、コンペのスタート時間に間に合わなかったことがありました。あのときは、その後しばらく、まったく眠れませんでした。それからは必ず、ゴルフ場への送迎は、事前に下見をすることにしています。いまではこの地方のおおよそのゴルフ場は、カーナビを使わなくても行けるようになりました。ゴルフは下手ですが、車の運転には自信があります。ぜひご用命ください。

＊合コンの場で

実は、女性の気持ちを少しでも理解しようと、思い切って一年間、料理教室に通ったことがあります。でも、女性の友だちはできませんでした。なぜなら、そこは男の料理教室だったからです。おかげさまで料理の腕はめきめき上がり、いまではすっかり料理が趣味になりました。男の料理というと、がさつなイメージがあるかもしれませんが、見た目の私とは違って、繊細な味付けが自慢です。一番の得意料理は、肉ジャガです。

＊ママ友の集まりで

いま戸惑っていることの一つは、言葉です。私の生まれ育った地元では、疲れたことを「えらい」と言うんですが、先日もお隣の奥さまに「きょうは、えらくて」と言ってしまい、変な顔をされてしまいました。別に威張っているわけではありませんので、誤解のないようにお願いします。ほかにも気づかないうちに使っている、おかしな地元の言葉がたくさんあると思います。気づいた方は、ぜひやんわりと指摘していただければうれしいです。

4．一番伝えたいことを繰り返す

＊営業の取引先で

これまでの自分を振り返ってみて、いろんな失敗が次々に思い起こされます。自分の会社生活、朝か、夜かと考えてみると、やっぱり夜の時間が圧倒的に長かった気がします。でも必ず夜は明けるので、朝の清々《すがすが》しい気分を思い出して、これからも辛抱、我慢の精神で、暗く長い夜を乗り切っていこうと思います。○○○○会社の○○○○です。今後ともどうぞよろしくお願いします。

＊合コンの場で

繰り返しますが、現在、女友だちはゼロです。ぜひどなたか、僕の肉ジャガをご馳走させてください。○○、○○をどうぞよろしくお願いします。

＊ママ友の集まりで

息子の○○も、そして私も、まだ親しい友だちが一人もいません。ぜひ仲良くしてください。どうぞよろしくお願いします。

どうでしょうか。この3種類の例文を参考に、皆さんも楽しみながら個性あふれる自己紹介にチャレンジしてください。いろんな状況を想定して、いまから準備しておけば、いざというとき誰よりもひときわ目立ったデビューを飾ること、間違いありません！

16 「君と出会って、もっといい男になりたいと思った」

（映画『恋愛小説家』のジャック・ニコルソンのセリフ）から学ぶ

1997年のアメリカ映画『恋愛小説家』は、偏屈で嫌われ者の小説家（J・ニコルソン）がシングルマザー（ヘレン・ハント）に恋をして、徐々に好人物に変わっていく様を描いた大人の恋愛映画です。いつもイヤミな一言で敵ばかりつくっていた主人公は、恋した女性にふさわしい男になりたいと願い、その決意をこのセリフに込めて愛を告白しました。

このとき彼女が彼に返した言葉が「それって最高の褒め言葉だわ」。このセリフも忘れられません。

ポイント▼ 自分を磨けば「話し方」が磨かれる

話し方教室やアナウンススクールでのプレゼン講習では、受講生の皆さんに実際にプレゼンに挑戦していただいています。

あらかじめ決めたテーマに沿って、構成から肉付け、原稿作成、そして発表まで、ワークショップ形式で進めています。発表のあとの講評は、私だけでなく受講生同士が遠慮なく感想を述べ合うこともあって、いつもにぎやかで楽しい講習になります。

テーマは、受講生のメンバー構成によって、その都度、変えています。

たとえば、営業スタッフには新商品のセールストークを、まだ配属が決まっていない新入社員には関係先での自己紹介を、就活を控えた学生には面接試験のシミュレーションを、といった具合です。

さまざまなテーマが考えられる中で、私が一時期「究極のプレゼン」と銘打って頻繁に取り組んでいたテーマが「プロポーズ」でした。

生涯の伴侶と決めた相手に自分の人生をかけてプレゼン（求婚）するわけですから、生半可な気持ちでは許されません。なんとかしてYESの返事を引き出そうと、皆さん全身全霊で取り組んでくださいます。

男女別で比べると、女性グループの方が圧倒的に盛り上がりました。ほかのテーマでは消極的だった人がにわかに元気づき、発表の順番を争って、われもわれもと手が挙がりました。

「それ、ヤバーい」とか、「マジで?」という若者言葉が渦を巻き、会場は大盛り上がりです。年配の女性からは、私の場合はこうだった、というエピソードが飛び出して、結局あのプロポーズにだまされたのよ、そんなオチまでついて爆笑に包まれたこともありました。

一方、男性グループはというと、どうしても気恥ずかしさが表に出てしまうようです。極端に口数が減ってしまう傾向にありました。

それはさておき、プロポーズの場合の「シンプルな構成」から見ていきましょう。

1. 僕（私）と結婚してください
2. 理由は、あなたと同じ人生を歩んでいきたいから
3. もし結婚したら、僕（私）はあなたにこんな人生のプレゼントができる
4. だから、僕（私）と結婚してください

プロポーズの場合、1と2はほとんど同じような回答が並びます。「印象度」に差がつくのは、3の具体例にかかってきます。

僕（私）は「YOU」のためにこういうことができる、という僕（私）だからこそ可能なことを列挙して、ほかの人との差別化を図るわけです。僕（私）と結婚したら、「YOU」

はこんなに幸せになれますよ、だから「ＹＯＵ」には僕（私）が一番ふさわしい、という論理展開です。

いつも皆さん、精力的にチャレンジしていただきましたが、こんな珍プレゼンが飛び出したこともありました。

「僕はマッサージが得意です。一生、僕のマッサージであなたの体と心をほぐします」。これには、緊張の面持ちの彼女も、思わず吹き出してしまうかもしれませんね。

こうして、このテーマで何回か講習を続けるうちに、私は一つ大事なことに気づきました。いや、気づかされたのです。きっかけは、一人の女性のこの発言でした。

「私の場合、どんなに論理的に美辞麗句を並べられるより、たった一言『結婚してください』って言われる方が、正直、ぐっときます」

そうなんです。プレゼンは理屈ではないのです。

「どういうことだ。プレゼンは構成を論理的に組み立てろと言ってきたのに、理屈じゃないとは矛盾しているじゃないか」。そんな声が聞こえてきそうですね。

でも私が言いたいのは、こういうことです。

人が話すということは、どんなにごまかそうとしても、その人の考え方、生き方、働き方など、すべてを表してしまいます。

これこそ、この本で私が一番書きたかったこと、この本全体を貫くフィロソフィー（哲学）です。

第14節で述べた「印象度」を思い出してください。プレゼンの工夫とは、さまざまな角度から聞き手の「印象度」を高めることです。しかし演出には限界があります。いざとなったら、普段のその人の「話し方」そのものがプレゼン全体を支配してしまうということです。つまるところ「印象度」は理屈を上回ります。ですから、いつもはおしゃべりな人が急に寡黙になって、真顔で一言だけのプロポーズが効果的に作用するのです。それが真実の声だからです。

先述のマッサージが得意の彼だって、チャラ男だったらスルーされてしまうコメントでも、普段の彼が生真面目な人であればあるほど、照れ屋の彼らしい決め言葉になってしまうのです。

あくまでテクニックの限界を知り、自分磨きに時間をかけてください。それが「話し方」を磨くことにつながる、と私は考えます。

あ、その前に、プレゼンの基本はしっかり押さえておいてくださいね。

17 「人事を尽くして天命を待つ」（ことわざ）から学ぶ

このことわざが意味するのは、「自分でできる限りの努力をしたら、結果は天の意思にゆだねて、あとは心静かに結果を待ちなさい」ということです。

どんな仕事も、努力したからといって必ず望み通りの結果が出るとは限りません。実は努力と同じくらい、いや、時に努力以上に結果を左右するのが「周囲の力」「援軍の力」です。

あなたの周りに応援してくれる人が多ければ多いほど、いい結果が出る確率は高まります。そのカギは、日頃のあなたの「話し方」にあるのです。

ポイント▼「人生は他人が決める」と心得よ

「人生は他人が決める」とは、また随分と乱暴な物言いだとお感じでしょうか？

確かに自分の人生、他人なんかに決められてたまるか、というのが素直な気持ちでしょう。

それは私もよくわかります。でもちょっと考えてみてください。

人は早ければ幼稚園や小学校で受験を経験します。そんな小さい頃から、書類や面接によって〈選抜〉という洗礼を受けるわけです。その後も中学・高校・大学、そして就職や見合いまで、人生の大きな節目節目で、人は他人に選ばれて自分のポジションを確立していきます。

社会人になっても、サラリーマンなら昇進や転勤、左遷など、人事異動は他人の手によって決定されます。自営業にしても売り上げはお客さま次第。つまりどんな仕事も、究極的には他人任せの要素がとても多いのです。

もちろん目標達成のためには、本人の努力が不可欠です。しかしどんなに努力を重ねても、自分の力だけでは突破できない、目には見えない力が存在するのも事実です。それが、ことわざにある「天命」、すなわち天の命令です。実際には人が動かしていても、本人が関与できない限り、それは天から授けられた運命と考えるしかありません。

私が言う「人生は他人が決める」は、けっして捨て鉢な意味ではありません。「天命」を受け入れた上で何ができるか、次の一手を考えようということです。

プロ野球の連続試合出場日本記録は、元広島東洋カープの衣笠祥雄《きぬがささちお》さんが１９８７年に達成した2215試合です。「鉄人」の愛称で親しまれた衣笠さんの記録は、30年以上経った現在も破られていません。しかし衣笠さん自身、18年間で一度だけ「もうダメだ」とあきらめた試合があったそうです。ご本人から直接聞いたエピソードです。

「前日、肩にデッドボールを受けて、検査の結果、骨折とわかりました。痛みは増す一方で、記録への執着はもちろんありましたが、さすがに気力だけで野球はできません。仕方がない、きょうは休もうと思ったとき、古葉竹識《こばたけし》監督から電話をもらったんです。とにかく出てこいと。ベンチにいるだけでいいから出てこいと。結局ピンチヒッターで起用されて、ヒットは打てませんでしたが、記録は途切れませんでした。あの古葉さんからの電話がなかったら、僕の勲章はなかったと思います」

これが「人生は他人が決める」ということです。本人の連続出場への執念は、監督が一番知っていました。試合の采配を振る監督が、一番の理解者だったわけです。その監督の誘いがあったからこそ記録は達成され、国民栄誉賞受賞にもつながったのです。

アナウンサーという仕事もまったく同じです。本人がどんなに希望しようと、担当番組の選択権はありません。報道志望であってもバラエティに起用されたり、バラエティ志望でもスポーツ番組のレギュラーを務めたり、というのはよくあることです。

どの番組にどのアナウンサーを起用するのか、その決定権はプロデューサーにあります。といっても、プロデューサーが自分の好みだけで決定するわけではありません。番組のコンセプトに照らし合わせ、番組スタッフや、民放ならスポンサーの意向も十分に取り込んで総合的に判断するわけです。

多かれ少なかれ、どんな仕事も同じではないでしょうか。テレビ局に入社して経理の仕事をしている人もいれば、商社や銀行、メーカーでも総務や人事の担当者は必ずいます。第一志望の会社に入れたとしても、誰もが希望の職種に就けるとは限らないのです。

会社の人事に関与できない以上、受け入れるしかありません。与えられた場所で精いっぱい頑張って、次のチャンスを待つしかありません。その間のあなたの姿を、必ず誰かが見ているものです。人は懸命に励んでいると、不思議と道が開けてきます。誰かの助けによって、まったく予想していなかった展開を見ることがあります。

〈ひいき〉という言葉にいいイメージはありませんが、〈ひいき〉とは、気にいった人を引き立てること。何人かいる中で、ここぞというときに選ばれる人になる努力も必要です。自分を〈ひいき〉してくれる人は、自分の可能性を信じてくれる人です。〈ひいき〉されるためには、他人があなたをどう見ているか、もっと普段から意識すべきです。

「俺は俺、他人の評価なんて気にしない。結果がすべてさ。結果を出せばいいんだろ」。そういう考え方は間違っています。どんな仕事も基本はチームプレーです。一人で結果を出せる仕事はありません。他人の協力がなければ、仕事が完結することはないのですから。

自分一人で仕事に行き詰まったとき、「あいつに頼まれちゃ仕方がないな。協力してやるか」。こう周りに言わせたら百人力です。あなたは成功に向かってまっしぐらです。

では、いざというとき、あなたのためにひと肌脱いでくれる、本当に頼りになる仲間をつくるにはどうしたらいいでしょうか？

とっておきの職場での「話し方」。それは、次の二つのフレーズを口ぐせにすることです。

「何かお手伝いしましょうか」

あなた自身が、日頃から周りの人を助けることに力を尽くしてください。困ったときはお互いさま。職場では、互いに協力しあう関係をつくることが成功への第一歩です。

「この件、私に任せてください」

自分の強みを周りの仲間にアピールする絶好の機会を逃してはいけません。そのためには、この分野の知識・技能は誰にも負けない、と胸を張れるだけの努力を怠らないことです。自分の得意分野をアピールすることで、自分の希望のポジションを周知することにもつながります。

この二つのフレーズを頻繁に口にすることで、確実にあなたの周りには頼れる仲間が増えていきます。

仕事は一人ではできません。どうしても他人の力を借りたいとき、思いきって甘えられる仲間（味方）をつくることが、あなたの夢の実現につながるのです。

⑱「青山学院大学を受験される方は12番出口からお上がりください。春にまた皆さまとお会いできることを楽しみにしています。お気をつけて、いってらっしゃいませ」

（東急東横線渋谷駅の構内アナウンス）から学ぶ

受験当日、このアナウンスが受験生に届けたのは、試験会場の案内情報だけではありません。「春にまた皆さまと……」。緊張と不安を抱えた受験生たちは、合格を祈る〈応援〉メッセージを、マイクを通して受け取りました。彼らの胸には、春からは毎日、この駅の温かさに触れたい、との思いがこみ上げてきたことでしょう。

駅の構内アナウンスは、不特定多数の利用客に向けた一方的なコミュニケーションです。

しかし事務的な案内だけに終わらない駅員さんの気配りが、受験には関係ない利用客の心もほっこりさせました。無味乾燥な機械的アナウンスの印象を超えて、互いに顔の見えない空間のコミュニケーションを成立させたのです。

ポイント▼言葉の力は時に人生をも左右する

「これまで人にかけられて、一番うれしかった言葉は何ですか？」

私が「話し方」の講習をしていて、こんな質問を生徒さんたちにしたことがあります。

さまざまな言葉が返ってきました。ざっと挙げるだけでも、「いつもありがとう」「君と一緒にいると楽しい」「頼りにしています」「さすがですね」「〇〇さんがいるから頑張れます」「思った通りの人でした」「そのままでいいんだよ」……。

当たり前ですが、生徒さんの性別、年齢、職業、さらには言葉をかけられたシチュエーションによって、驚くほど多様な言葉が並びました。

私なりに大ざっぱにまとめてみました。

1．感謝の言葉　「ありがとう」「助かりました」

2．承認欲求を満たす言葉　「頼りになるなあ」「すごいね」

3．励ましの言葉　「応援してるよ」「いつでも相談しなさい」

4．共感の言葉　「僕も（私も）そう思う」「間違ってませんよ」

会話で大切なことは、相手の立場になって考えること。自分が人にかけられてうれしい言葉を相手にかける。これが鉄則です。

この4項目の中で圧倒的に多かったのは、2番目の承認欲求を満たす言葉でした。承認欲求とは、他の人から認められたい、自分は価値ある存在だと思いたい欲求のことです。「君と一緒にいると楽しい」「頼りにしています」「○○さんがいるから頑張れます」など、どれも相手にとって〈かけがえのない存在〉を示す言葉だから快を感じるのです。

あまりにも承認欲求が強くなると、〈目立ちたい〉意識だけが先行して周りが見えなくなります。「すぐに自慢話をする」「他人の成功にイヤミばかり言う」「相手より自分の方が上だとほのめかす（マウンティング）」――こうした発言を繰り返すうちに、周りには誰もいなくなります。SNSで炎上するのも、このパターンですね。

自分の承認欲求はできるだけ抑えて、相手の承認欲求には寛容であること。これが人間関係をスムーズにする「話し方」の基本です。

「東急東横線渋谷駅の構内アナウンス」は、３番目の励ましの言葉です。なぜこの言葉が心に染みるのでしょうか？

緊張と不安でいっぱいの受験の朝、思いもかけない場所で、思いもかけない人から、思いもかけないかたちで励まされたからです。しかも「合格を祈る」ではなく、「春にまた会いたい」とは、もう反則と言いたいくらい言葉のセンスが光ります。

自分は一人じゃない、応援してくれる人がいる。雑踏の中で孤独感が癒やされ、受験生たちは勇気づけられたのです。

励ましの言葉でも、相手によっては言葉の選択に注意が必要な場合があります。むやみやたらに「頑張れ」と声をかけてはいけない、とはよく言われることです。頑張らなきゃいけないことは自分自身が一番わかっている。さらにプレッシャーをかけて、追い込むことになってしまうからだそうです。

そんなときは「頑張れ」ではなく、「いつも頑張ってるね」と言い換えれば、言葉の受け手はぐっと楽になります。この言葉には、励ますだけでなく、承認欲求も、さらには４番目の共感のニュアンスも含まれるからです。

このように、ちょっとした気遣いで相手の心に響く言葉になるのです。

シンガーソングライターの中島みゆきさんが、小学生の頃に開業医のお父さんから教えられた言葉が胸を打ちます。

「刃物で切った傷なら薬で治せるけれど、言葉で切った傷につける薬はない」

この教えに、中島さんはこう考えたそうです。

「切る言葉があるのなら、治す言葉もあるのではないだろうか」

つらいとき、悲しいとき、どうしていいかわからないとき、私も含め多くの人が中島さんの歌に励まされ、勇気をもらいました。その原点は、お父さんからかけられた言葉にありました。


言葉の持つ素晴らしさと恐ろしさは、たった一言で人の命まで左右することがあります。「私のために生きてほしい」。この一言で自殺を思いとどまる人もいれば、ＳＮＳでの無責任な匿名の誹謗《ひぼう》中傷コメントで命を絶つ若者がいます。

人を傷つけて得することなど一つもありません。傷ついて悲しむ人を見るより、自分の一言で心を震わせ、頑張る人を見る方がどれだけ幸せなことでしょうか。

時に人生をも左右する言葉の力は、「諸刃《もろは》の剣《つるぎ》」なのです。

19 「人は褒めるより、けなすことを好むものだ」（マキャベリの名言）から学ぶ

マキャベリは、イタリア・ルネサンス期の政治思想家です。『君主論』を著したことで知られ、理想主義的なルネサンス文化の時代にあって、あくまで現実主義的な政治論を展開したことで有名です。
右の名言は、人間の嫉妬心の醜さを端的に表していて、現代にあっては、ＳＮＳを炎上させる人間の深層心理につながると分析できます。いまの時代、コミュニケーションはＳＮＳ抜きでは語れません。ここでは「話し方」の延長線上にＳＮＳがあるとの前提で、ＳＮＳを上手に使って味方を増やす方法について考えます。

ポイント▼ ＳＮＳは怖い。だから上手に利用しよう

２０２０年３月30日深夜、東シナ海で海上自衛隊の護衛艦が中国船籍の漁船と衝突する事故がありました。

事故発生直後、山本朋広副防衛相（当時）がツイッターに事故の詳細を投稿しました。ところが、その内容に非公表の情報が含まれていたことがわかり、のちに山本副防衛相は「不適切であり、削除した。猛省している」との陳謝に追われました。

国民の一人として情報公開は大歓迎ですが、国家機密級の情報がいとも簡単に漏えいしかねない状況には唖然としました。

うっかりミスは誰にでもあります。しかし〝うっかり〟では済まされない、重大かつ悲惨な結末につながってしまうのがSNSの怖さです。

会社でも「メッセージの誤送信によって社に莫大な損害を与えてしまった」「匿名アカウントで投稿した特定の個人批判が明るみに出て処分を受けた」など、取り返しのつかない事例があとを絶ちません。

また軽い気持ちで始めた悪ふざけによって、その後の人生を台無しにしてしまった若者たちの軽挙妄動《けいきょもうどう》が、「バカッター」や「バイトテロ」などの造語を生みました。

SNSは楽しく、便利なサービスです。つながりはゆるくても拡散力は抜群で、何より普段は目立たない自分自身の承認欲求を存分に満たしてくれます。

では、その魔力に翻弄《ほんろう》されることなく、上手にSNSを使うにはどうしたらいいのでしょうか。その手立てを探るにあたって、いまこの瞬間もどこかで起きているであろう〝炎上〟

の原因について考えてみます。

〝炎上〟を誘発する人間の心理をピッタリ表現しているフレーズを見つけました。

「他人《ひと》の不幸は蜜の味」

他人の幸福は素直に喜べず、むしろ不幸な出来事に興味が湧く――不謹慎とは承知しつつも、誰しも思い当たるところがあるでしょう。この負の感情が「ねたみ」です。

他人の自慢話を快く思わないのも、負の心理が原因です。ですからＳＮＳの場合、他人の不用意な自己主張の発言には攻撃的な心理が働き、罵詈雑言《ばりぞうごん》が飛び交う集中砲火が発生してしまうのです。

また、文字には「表情」がありません。

「〇〇って、バッカじゃないの」

このニュアンスが、実際には軽い冗談のつもりで発した、愛情すら込められた「バッカじゃないの」であっても、鋭く相手を批判する侮蔑的意味で受け取られることは十分に考えられます。

では〝炎上〟の餌食《えじき》にならないために、気をつけなければならないことは何でしょう。

「不特定多数の誰が見ても不快にならない投稿を心がける」ことに尽きます。その際、誤解を受けかねない表現は極力避けるべきです。多くのユーザーの中には、特定の投稿に対して端《はな》から悪意を持って接する輩《やから》がいることも忘れてはいけません。

たとえ誤解から生じた〝炎上〟であっても、誤解をさせた投稿側に責任がある、という考え方がＳＮＳ界の常識なのですから。

ここでもう一度、マキャベリの名言を引用します。

「人は褒めるより、けなすことを好むものだ」

だとしたら、ただの一人も負の感情を誘発させないために、味方を増やすツールとしてＳＮＳを利用する手立てを考えましょう。褒めることだけに利用するのです。

面と向かっては照れくさくて言えないコメントでも、案外、ＳＮＳ上の文字なら投稿できてしまうものです。

たとえば、職場の上司を褒める場合。

上司を褒めるのは、周りの目もあって勇気が要ります。同僚たちに「おべっかを使うお調子者」と見られるのは心外ですよね。そんなときは、エピソードを交えてこんなツイートはいかがでしょうか。

「先日、私のミスで謝罪に出かけた取引先でのこと。同行してくれた○○部長が私より先に頭を下げ、『私たちのミスです。もう一度だけチャンスをください』。この男気《おとこぎ》ある言葉に心が震えた」

どうでしょうか。○○部長自身が、人づてであれ、このツイートを目にしたときのはにかむ様子が目に浮かぶようです。

星野仙一さんが中日ドラゴンズの監督時代に、メディアを通じて特定の選手を褒めたエピソードを第８節でご紹介しました。

要は、間接的に他人の「口」を通して人を褒めれば、それだけ相乗効果が期待できるということです。より効果的という意味では、いまの時代、ＳＮＳを使わない手はありません。負の感情は一切捨て去り、くれぐれも慎重を期してＳＮＳと向き合ってください。

第3章

「話し方」ひとつで、あなたの魅力はひときわ光る

20 「あなたはどんなメッセージを受け取りましたか？」

（テニスの全米オープンで優勝した大坂なおみ選手の言葉）から学ぶ

2020年9月、折しもアメリカでは警官による黒人銃撃が相次ぎ、行き過ぎた行為との批判が湧き起こっていました。コロナ禍にあって、大坂選手は犠牲者の名前入りマスクをして試合に臨むことを宣言。大会前に用意したマスクの数は7枚でした。1枚のマスクに一人の名前が入っていて、すべてを使うには決勝まで勝ち進まなければなりません。そして結果は――宣言通り、彼女はすべてのマスクを使い切って栄冠を勝ち取りました。

優勝インタビューで「犠牲者の名前が入ったマスクで伝えたかったことは？」の質問に対し、大坂選手は右の質問で返しました。自分の意思を伝える手段は言葉だけではありません。非言語コミュニケーションはさまざまな形で人々の心をつなぎます。

ポイント▼ 時には「沈黙」がメッセージになる

非言語コミュニケーション（Non《ノン》-Verbal《バーバル》 Communication《コミュニケーション》）とは、伝達手段を言葉に頼らないコミュニケーション全般を指します。

人は日常的に言語だけでなく、さまざまな手段を使って情報を伝達し、人と人との意思疎通・交流を図っています。具体的には、話し手の表情やしぐさ、目線、態度、声の大きさや高低、強弱などが挙げられます。

また、道具（ツール）を使ってのコミュニケーションも効果を発揮します。

大坂選手の場合、名前入りの黒いマスクがコミュニケーションツールとなって、全世界にアメリカが抱える黒人差別問題を訴えたのです。

大坂選手は「多くの犠牲者がいるのに、7枚のマスクでは足りないのを残念に思う」とも話しました。声高に人種差別の撤廃を叫ぶのではなく、アスリートとして試合に勝つことで自分の思いを主張し、しかも最後まで勝ち進むという偉業を達成した技術力と精神力に頭が下がります。

これより半世紀以上前、1968年10月には、同じくアスリートによる、黒人差別に対するこんな抗議行動がありました。

舞台はメキシコオリンピック。陸上男子200メートルの表彰式で、金メダルのトミー・

スミス選手と銅メダルのジョン・カルロス選手が、黒い手袋をはめた拳《こぶし》を突き上げました。アフリカ系アメリカ人選手二人による「沈黙」のメッセージでした。

この年の4月には、公民権運動で知られるキング牧師の暗殺事件があり、全米で人種差別撤廃の運動が高まりをみせていました。このときは、二人がはめた黒い手袋がコミュニケーションツールになったのです。

またオリンピックといえば、2013年9月の国際オリンピック委員会（IOC）総会の招致最終プレゼンテーションで、滝川クリステルさんは流ちょうなフランス語と巧みなジェスチャーで、日本の「おもてなし」を紹介しました。

外国人を対象にしたプレゼンですから、一音一音区切りながら、手で空間に文字を置くようなジェスチャーを交え、とても極端な言い回しになりました。そのあと合掌のポーズもあったことで、日本人の中には「オーバー過ぎるアクションだった」という、やや批判めいた反応もあったようです。

しかし、あの言い回しとジェスチャーがあったからこそ、「おもてなし」という単語があれだけ際立ち、外国人だけでなく、私たち日本人にも強い印象を与えたのだと思います。

この「お、も、て、な、し」も、間違いなく非言語コミュニケーションの範ちゅうに入ります。身ぶり、手ぶりのジェスチャーや音楽、ダンス、絵画など、非言語コミュニケーションは国境を越えて人々をつなぎます。

「本当に伝えたいことは、言葉だけじゃ伝えきれない」

２０２０年12月31日の活動休止まで、21年間にわたって芸能界のトップを走り続けてきた〝嵐〟のメンバー・松本潤さんのファンへのメッセージです。歌って踊って、ステージのパフォーマンスで本当に伝えたいことを伝える──その道のプロならではの名言だと思います。

〝嵐〟は１９９９年にハワイでデビュー会見。その後ジャニーズとして初めて韓国、中国での単独公演を開催するなど、「世界に嵐を巻き起こす」というグループのコンセプト通り、グローバルな活動を続けてきました。彼らのパフォーマンスは海を越えて大勢のファンの支持を集め、言葉以上の説得力をもって多くのメッセージを伝えています。

プロといわれる人たちは、誰もがそれぞれ自分のステージで、この非言語コミュニケーションを実践しています。

「言わなくてもいい。にじませればいいんだ」

『報道ステーション』（テレビ朝日）降板後、自らを「しゃべり屋」と称して、硬軟問わずさまざまな番組で熟練トークを繰り広げている古舘伊知郎さんの言葉です。初のコメンテーターを務める『ゴゴスマ』（CBC・TBS）のMC・石井亮次アナウンサーへのアドバイスとして、この名言が生まれました。

その真意は——「本当に伝えたいことでも、さまざまな規制があって口にできないこともある。そんなときは言葉にしなくてもいい。言外に匂《にお》わせたり、表情や態度でほのめかしたりすることでも十分に伝えられる」と、理解できます。

非言語コミュニケーションの本質を端的に言い当てた名言だと思います。

私たちが日頃、何気なく使っている非言語コミュニケーションのうち、もっとも効果的なものは何か、おわかりになりますか？

そう、「笑顔」です。「笑顔」は言葉を一つも発しなくても、言葉と同じように、いや、時には言葉以上に、相手に安心感や親近感、信頼感を与えます。

最高の「笑顔」に勝るコミュニケーションツールはありません。くれぐれも〈宝の持ち腐れ〉になりませんように。大切に使ってくださいね。

21

「天才と呼ばれる人たちを調べてみると、ピアノでも将棋でも、それに費やしている時間が、最低でも１万時間はあるんです。１日３時間として10年間。５歳から何かをやったとして、15歳までそれを続けて、それである種のプロフェッショナルになる。つまり、環境が運命を決めているんです」

（生物学者・福岡伸一さんの名言）から学ぶ

環境が運命を決めるとしても、自ら環境を選ぶことはきわめて難しいことです。大切なのは、いまの環境にどう対応するかということ。その際、「話し方」が大きなポイントになります。

まったく予備知識のない世界に飛び込んだとき、その世界独自の「話し方」に適応することも求められます。どんな道に進んでも、最初は誰だって初心者です。その道を究めるのに、いまの環境に順応できる人は、運命を切り拓《ひら》くこともできる人です。

ポイント▼「話し方」がプロ意識を醸成する

すでに退職した方たちと、さまざまなコミュニティで知り合う機会が増えました。そして一つのことに気づきました。

現役時代の経歴を聞かなくても、普段の「話し方」から、どんな仕事をしていたのか推し量ることができるのです。

たとえば、何事にも説得調でリーダーシップをとる方が元教員だったり、常に言葉遣いが丁寧で「ありがとう」を連発する方が元接客業であったり、多弁な人が元営業職とか、寡黙な人が元技術職など、こうした例を挙げれば、皆さんも「あるある」と素直にうなずいてくださるのではないでしょうか。

それだけ「話し方」と仕事には密接な関係があります。一つの仕事に長年従事すれば、仕事がその人の「話し方」まで支配してしまいます。

テレビの大相撲中継で、皆さんも一度はご覧になったことがあると思います。聞き手のアナウンサーだけが一方的にしゃべって、肝心の勝った力士がほとんど無言という、何ともおかしなインタビュー。違和感を覚えるのは、私だけではないはずです。

たとえばこんな感じです。

アナ「おめでとうございます」
力士「(ハアハア言いながら) ありがとうございます……」
アナ「素晴らしい立ち合いでしたね」
力士「……はい……」
アナ「さっと右が入りました」
力士「……そうすね……」

アナ「作戦通りでしたか」
力士「……そうすね……」
アナ「そのあとの攻めがまた速かった」
力士「……はい……」
アナ「思い通りの相撲でしたね」
力士「……そうすね……」
アナ「これで5連勝ですよ」
力士「……はい……」
アナ「おめでとうございました」
力士「（表情を変えずに）ありがとうございました」

「おーい、アナウンサーばっかりしゃべって、おすもうさんは何にもしゃべってないぞー」

思わずこんなツッコミを入れたくなりますよね。しかも大きな体に似合わない、いまにも消え入りそうな小声でしか答えてくれません。何ともアナウンサー泣かせのインタビューではあります。

もちろん取組直後の息が上がった状態ということもありますが、それにしても、もう少し話してほしいというのが聞き手としての本音です。

なぜ、こんなにもおすもうさんは無口なのか？

ＮＨＫの人気番組『チコちゃんに叱られる！』ふうに答えるなら、正解はこうなります。

「おすもうさんが無口なのは……あんまりしゃべると、親方に叱られる、からぁー」

そうなんです。相撲界にあって、無口は美徳なんです。土俵上では勝っても負けても喜怒哀楽を表さない。ガッツポーズなど、もってのほか。インタビューでもべらべらしゃべらない。それが日本古来の大相撲の美徳であり、親方の教えなのです。

それが証拠に、現役時代はほとんど口を開いてくれなかった力士が、引退と同時に冗舌になるケースがよくあります。荒磯親方（元横綱・稀勢の里）の流ちょうなテレビ解説は大きな話題になりました。

相撲界に入るまではごく普通に若者言葉を駆使していた若い力士たちも、いざ入門してからは、無口であることの美徳を徹底して意識するようになります。なぜならこの世界では、無口という「話し方」が、プロのスキルの第一歩と考えられているからです。もちろんプライベートな場になれば、活発に若者言葉が飛び交います。しかしインタビューなど外の世界と接する場面では、このしゃべらない美徳が何よりも優先されるのです。

プロ意識を高めるために必要なのは、周りからその道のプロと見られるようになることです。他人の目を意識して披露したパフォーマンスが認められると、誰しも喜びを感じます。第三者から認められることが本人の自信になり、さらに仕事の楽しさにつながるという好循環を生むわけです。

大相撲の世界では、しゃべらない美徳を身につけることがプロへの第一歩であり、その自覚が芽生えない限り、勝負師としての成長はありえません。

相撲界以外でも、どんな業界であろうと、ルーキーたちがまず求められるのは、その社会のルールを理解し、適応することです。その第一段階が「話し方」だといえるでしょう。隠語も含め、業界特有の専門用語や言葉遣いを身につけることからスタートします。

どの道も、「話し方」によってプロ意識が醸成されていくのです。

22「物真似から出発して、独創にまで伸びていくのが、われわれ日本人の優れた性質であり、たくましい努力でもあるのです」

（野口英世の名言）から学ぶ

貧しい農家に生まれ、幼い頃に負った手のやけどにもめげず、世界的な医学者になった野口英世は、日本を代表する立志伝中の人物です。自ら語っている通り、ノーベル賞候補にもなった黄熱病や梅毒の研究も、先人の「模倣」から学んだ基礎的研究が出発点でした。最初は「模倣」でも、そこから生まれたアイデアが結実するまでの根気と勤勉さが、現在も称賛されています。オリジナリティーあふれる「話し方」の確立にも、この「模倣」から始める方法論は大きなヒントを与えてくれます。

ポイント▼お手本は憧れの人の「話し方」

「学ぶ」の語源は「真似《まね》ぶ」だとする説があります。

「真似ぶ」とは、真似ること。真に似せることです。

どんな仕事も他人のマネをすることから始まります。まずはお手本があって、同じことを繰り返しマネすることによって基本に習熟し、さらに上のレベルを目指していくわけです。

基本がまったくできていないのに、いきなり応用問題に対応できるはずがありません。オリジナリティーを高めるためにも、基本を繰り返すことは大切です。

「話し方」の上達もまったく同じです。まずお手本を決めて、その人の話し方の特徴をマネしてください。発声の仕方から、声のトーン、抑揚、間の取り方、そして言葉遣いなど、そっくりマネをしてしまうのです。

お手本を選ぶ基準は、ズバリ〈憧れの人〉です。普段からあなたが素敵だなと思っている人、こういうふうになりたいと目標にしている人です。身近な人に限りません。芸能人やスポーツ選手、有名な企業人でもかまいません。映画やテレビ、小説の主人公だってOKです（小説の場合は相当の想像力が求められますが……）。

要は、こういう生き方がしたいという人物になりきってしまおうということです。そうなると、マネるのは話し方だけではなくなります。服装やしぐさ、態度、習慣、お酒の飲み方、日常のちょっとしたクセだって、その人に近づけたくなりますよね。実は、そこに、重要な意味があるのです。

マネも徹底してくると、たとえば仕事で困難な状況に追い込まれたとき、その憧れの人だったらどういう話し方をして、どう対処するのだろうか、いろいろ想像しながら行動するようになります。つまり話し方をマネるというのは、単に口のきき方だけをマネるにとどまりません。その人の考え方、生き方までをもマネることにつながるのです。

心理学には「モデリング」という専門用語があります。「モデリング」の典型的な例としては、子どもの成長過程が挙げられます。子どもは親や大人の日頃の動作を観察・学習し、成長していきます。つまり、もともと人間には、他人の行動を見て反射的にマネをする能力が備わっているということです。

私は野口英世の名言に、日本人特有の「守破離《しゅはり》」の精神を見ました。

「守破離」は、日本の伝統を誇る茶道や武道などで、修業の過程・段階を表しています。「守」とは、入門してすぐの段階です。師や流派の教えや型、技を忠実に守って、確実に身につける段階をいいます。

次の「破」は、自分の師だけでなく、他の師や流派の教えについても考えをめぐらせ、良いと思ったものは躊躇《ちゅうちょ》せずに取り入れて心技を発展させる段階のことです。

そして最後の「離」は、一つの流派から離れて、独自の新しいものを生み出し、確立させる段階を指します。他者を寄せつけないオリジナリティーあふれる型の完成です。

「型があるから型破り、型がなければ型なし」とは、十八代・中村勘三郎の座右の銘として有名です。基本をしっかり修めてこその芸道であり、基本をおろそかにしていると「型なし」、すなわち面目を失い、みじめになると説いています。


さて、あなたがマネしたい憧れの人は誰ですか？　もちろん人それぞれいろんな価値観があって当然ですが、こんなデータも参考になるのではないでしょうか。

上司が選ぶ理想の新入社員ランキング（明治安田生命アンケート調査）です。

ここ数年、常に上位に名を連ねているのが、男性では大谷翔平さん、竹内涼真さん、神木隆之介さん、女性では、イモトアヤコさん、土屋太鳳さん、有村架純さんといった顔ぶれです。

「わーっ、とてもじゃないけど、マネしようがないだろう！」。そんな悲鳴が聞こえてきそうですね。

確かにメジャーリーガーや人気俳優の名を挙げられても、あまりにも自分とかけ離れている、それが素直な感想でしょう。でもそれでいいのです。あなたの憧れの人を周りに宣言する必要はありません。心の中にそっとしまって、こっそりマネをすればいいのですから……。

ここで大切なのは、なぜ上司がこの顔ぶれを選ぶのか、その分析です。大谷翔平さんの〝大きな舞台で発揮される並外れた能力〟、イモトアヤコさんの〝どんなミッションにも果敢に立ち向かう突撃精神〟、おそらくこういった点が人気の理由と思われますが、どちらも理解こそできるものの、残念ながらマネするレベルを超えています。心にとどめるだけでいいと思います。

全員に共通するのは、〝素直さ〟〝さわやかさ〟〝明るさ〟といったところでしょうか。大丈夫、これなら誰でもマネはできます。

たとえば上司のイヤミな一言にどう答えるか？　竹内涼真さんだったら、土屋太鳳さんだったら、どんなふうに答えるだろう？　模範回答を自分なりに想像してみてください。それが、対人関係では〝明るさ〟として表現されるのです。

さあいますぐに、憧れの人に変身しましょう。明るく、楽しく、ゲーム感覚で。

23「病気になったことでメリットもあるんですよ。賞を取っても、ねたまれない。少々口が滑っても、おとがめなし。ケンカをする体力がなくなって、随分腰が低くなったし」

（女優・樹木希林さんが残した言葉）から学ぶ

世間を驚かせた全身がんの公表のあとも、樹木さんは映画出演など精力的に仕事をこなしました。死を意識しながら、かといって死への悲痛な覚悟などまったく感じさせせず、淡々とした演技を見せる樹木さんの生き方に多くの人が魅了されました。

惜しまれながら2018年9月に死去。その後、右の言葉を収めた『樹木希林120の遺言』（宝島社）など、生前の言葉をまとめた本の多くがベストセラーになりました。演技と同じく、いかにも自然体でユーモアにあふれ、飾らない言葉の数々が人々の心を打ちました。

「話し方」は、その人の生き方を表します。だから同じことを話しても、どう生きてきたか、どう生きているかによって、伝わり方が違うのです。

ポイント▼「話し方」は、生き方を表す

私は現役のアナウンサー業務を離れてからも、アナウンススクールや話し方教室、大学、一般企業、ちょっと変わったところでは警察学校など、さまざまな場所で講師・講演活動をしてきました。

これまでの活動で、私がもっとも重点をおいてきたテーマは「同じことを話しても、なぜ話し手によって伝わり方が違うのか？」ということです。文字起こしをしたらまったく同じコメントでも、どうして聞き手の受け止め方に違いが出るのでしょうか。

その原因は、ズバリ「話し方」の違いにあります。「そんなの当たり前だろう」って、まあそうおっしゃらずに最後まで聞いてください。

具体的な違いは、大きく分けて二つ考えられます。

一つ目は、第５節で述べた、話し手の感情次第で伝わり方が違うという点です。あらため

てこんな例だとわかりやすいでしょう。

親密な男女の会話と仮定します。女性のセリフは「もう、あなたなんか、きらい」。このセリフを二通りの感情で伝えます。

まず怒気を含めて「もう、あなたなんか、きらい」。最後に！マークをつけたいくらいの勢いです。怒りの理由はわかりませんが、雰囲気は一触即発。男性のひきつった表情が目に浮かびます。

次に、甘えた声で「もう、あなたなんか、きらい」。最後の「きらい」は「き、ら、い」の表記の方が正確なような、そんな「話し方」がイメージできます。男性のにやけた顔は想像したくもありません。

これは極端な例ですが、もっと身近なところでは、謝り方の行き違いがあります。夫婦ゲンカのひとコマです。

「（ふてくされた表情で）ゴメン」「何よ、その謝り方」「だからゴメンって謝っただろ」。明らかにご主人に非があるようですが、感情に任せた「話し方」が相手の感情を刺激するだけで、言葉では謝っていても詫《わ》びる気持ちは伝わりません。

二つ目の「話し方」の違いについては、こんなエピソードがあります。

女子マラソンの高橋尚子さんや有森裕子さんを育てた名将・小出義雄さんが、２０１９年４月に亡くなりました。多くの方たちが小出さんの死を悼む中で、学生時代、小出さんに指導を受けた山梨学院大陸上競技部・上田誠仁監督が、生前の小出さんの「話し方」をこんなふうに語っています。

「小出さんからは『言葉の力』をすごく感じました。同じ言葉でも小出さんが言うと、すごく『なじむ』感じがしたのを覚えています」（2019.4.27 スポーツ報知）。

上田監督は順天堂大時代、箱根駅伝のエースとして鳴らしました。レース中に伴走車の小出さんからかけられた「いいね！」の励ましの声が、いまでも忘れられないそうです。同じ「いいね！」という言葉でも、小出さんの「いいね！」は、他の人が口にする「いいね！」より、すごく「なじむ」感じがする——上田監督が、そう受け止めたところに、二人の厚い信頼関係と、小出さんの〝人としての魅力〟を感じるのです。

このときの小出さんの「いいね！」は、ただレース中の上田監督の奮闘を褒めたのではない、と私は思います。この「いいね！」で上田監督がどう動くか、上田監督の性格、体力、走力などすべて把握した上でかけた言葉だった、と思うのです。

そして一番のポイントは、上田監督にとって小出さんがどういう存在だったかということです。

小出義雄さんという個の人格は、普段の言動から周りの人それぞれにイメージされています。上田監督にとっては、「言葉の力」のある人であり、誰よりも「なじむ」言葉をかけてくれる存在でした。そこには言行一致の人とのイメージが膨らんできます。言うことと、行うことが一致しない人の言葉に説得力はないからです。説得力がなければ人は動きません。人を動かすには、三つの方法があるといいます。①お金で動かす ②力で動かす ③魅力で動かす。動かす側、動かされる側、どちらにとっても、やっぱり一番惹《ひ》かれるのは③ですよね。

魅力ある話し方は、テクニックだけでは身につきません。どんなにごまかそうとしても、話し方には、その人の生き方、考え方、働き方など、すべてが表れてしまうからです。

話し方に魅力がある人は、その人自身に魅力があるということです。日頃からの自分磨きが、人を惹きつける「話し方」につながるのです。

24 「新卒で入った会社には、毎朝5時に出社していました。それは入社前から自分に課したルールでした」

（実業家・前田裕二さんの言葉）から学ぶ

前田さんは20代でライブストリーミングサービス会社を設立。海外からも注目を集める若手実業家です。社長業のかたわらテレビ・ラジオにレギュラー出演。講演や作家活動にも意欲的に取り組む姿は、多くの若者たちに夢を与え、憧れの存在となっています。

その原点は、新卒で入社した外資系投資銀行で自らに課したルールでした。すでにワークライフバランスの意識が浸透していた時代にあって、前田さんは電車が動く前に自転車で出社。その言動が周りに情熱を吹き込んだことは想像に難《かた》くありません。

ポイント▼情熱ある「話し方」が周りを元気にする

「24時間、戦えますか？」

このキャッチコピーで一世を風靡《ふうび》したCMがありました。栄養ドリンク『リゲイン』のCMです。時代はバブル期。ターゲットはビジネスマン。働き方改革が叫ばれる現在とはまったく価値観を異にするCMです。

当時の価値観が通用しないことは十分承知していますが、あの頃の日本のビジネスマンたちの心意気を、いまの若者たちに少しでも理解してもらいたい気持ちもあります。その心意気とは、24時間、一つのことに情熱を燃やし続ける強い思いです。

仮にその対象が仕事でなかったとしたらどうでしょう。たとえばスポーツ、テレビゲーム、映画、音楽、麻雀、パチンコ、何でもいいです。好きなことだったら時間の経つのも忘れ、何時間でも没頭できますよね。そういうパッションを仕事に振り向けることを、昭和のおじさんたちは部下に向かって、こう言葉にしていました。

「仕事に恋をしろ！」

恋愛と同じくらいのパッションを仕事にぶつけたら、それはもう、スゴイ結果につながるぞ！　というアドバイスです。ちょっと乱暴な印象も否めませんが、２０２０年に亡くなったファッションデザイナー・山本寛斎さんのインタビューコメントはインパクトがありました。

「僕は朝めざめたとき、きょう一日あれもしたい、これもしたいと、やりたいことで頭がいっぱいになります。仕事は恋愛と一緒。好きな女性ができたら、その女性を獲得するために、男はできることなら何でもしますよね。たとえば誰もしないようなことを思いついたり……。プレゼントだったら、デートのときだけじゃない。毎日、それも朝昼晩と花を贈ったらどうだろう、とか。あっと驚くことをやってみようと思うものです。それは仕事でも同じなんです」

確かに好きな相手ができたら、その人に気に入られようと、思いつく限りの手を尽くすでしょうね。誕生日やクリスマスには知恵を絞って、いろんなイベントを企画するだろうし、自分と付き合ってくれたらこんなメリットがあります、とプレゼンめいたこともするでしょう。常に相手の意向を尊重し、当然、予算のことも考えて行動します。これって、プロセスはビジネスとまったく同じなんです。

どうでしょう。ここまでは理解していただけましたか。

「うーん、でも所詮、理屈だよね」「仕事となると途端にワクワクドキドキ感はなくなっちゃう」「根本的に仕事と恋愛は違うし……」。こういう反論があるのは重々承知しています。

そこで考えていただきたいのは、そもそも仕事とは何なのか、ということです。「人は何のために働くのか」という素朴な、そして大きな疑問に、あなたならどう答えますか。

「生きるため」「生活費を稼ぐため」「家族を養うため」という答えなら、もうその段階で、仕事と恋愛を同じ次元で考えることはできなくなります。なぜなら仕事に〈義務感〉が生じてしまうからです。「仕事は生活するために必ずしなければならないもの」と位置づけた時点で、仕事は恋愛と違って楽しくないものに分別されてしまいます。

恋愛と同じパッションで仕事に臨むためには、仕事自体が楽しくなければなりません。まずはプラス思考をフル回転させ、あなた自身が没頭できる楽しいことを、仕事の中に見つけてください。

やりたいことが見つかったら、あえて私は、そのやりたいことを周りに宣言することをお勧めします。

反面教師で、こういう人がいます。どんなことにも、やりたい、やりたい、と言いながら、結局のところ何にもやらない人。こういう口先だけの人は、無責任な人と見なされてすぐに信頼を失います。

信頼される人になるためには、自分が宣言したことは絶対にやり遂げねばなりません。この〈有言実行〉で効果を発揮するのが、第17節でもご紹介したこのフレーズです。

「この件、私に任せてください」

　ズバリ、あなたが周りの誰よりも光り輝く鉄板コメントです。ただしこのコメントには〈覚悟〉が必要です。周りに宣言することで、プレッシャーも引き受けねばなりません。プレッシャー克服法は後述しますが、自分がやると宣言したからには、その仕事に魅力と楽しさを見出せているはずです。プレッシャーの克服について考えるのは後回しでかまいません。

　高校生の頃、好きな人ができて友だちに相談したときのことを思い出してください。中にはキューピッド役に名乗り出た、お節介な友だちもいましたよね。あんな人間関係は社会に出たら無理に決まっている、そういう思い込みは捨ててください。目指す目標が同じなら、いまでも、あの懐かしい人間関係の復活は夢ではありません。

　いざというときに助け合える、そんな理想の人間関係を構築するために、あなたがなすべきことは、あなたの情熱あふれる「話し方」で周りを元気にすることです。

　そして24時間ワクワクドキドキしながら恋の相手に情熱を傾ける、そんな思いで目の前の仕事に力いっぱいパッションをぶつけていく――あなたの情熱が、仲間たちの心を動かすのです。

25 「サッカーが好きだ、楽しいっていう気持ちには、年齢もキャリアも関係ないんです」

（三浦知良選手のインタビュー）から学ぶ

三浦知良選手（横浜ＦＣ）は、１９６７年生まれの国内最年長のプロサッカー選手。Jリーグ発足当初からプレーを続ける唯一の現役選手です。キング・カズの愛称で知られ、国内外で受賞多数。ここまで続けてこられた理由を「好きだから」「楽しいから」と屈託なく語ります。

ことあるごとに「好きだ」「楽しい」を連発する彼の「話し方」に、常にトッププレイヤーの座を維持し続ける秘訣がある、と私は考えます。

ポイント▼「楽しい」「面白い」を口ぐせにしよう

人は、人生のほとんどを働いて過ごすわけですから、大好きなことを仕事にしている人ほど幸せな人はいないでしょう。

逆に言うと、好きでもないことを仕事にしている人ほど不幸な人はいないことになります。まあそこまで言ったら、言葉が露骨すぎますね。身もフタもありません。だって大多数の人が、自分は後者だと思い込んでいるでしょうから。

三浦選手のように、自分の仕事をきっぱり「好きだ」と語れる人は、ほんのひと握りしかいません。サッカーに限らず、あらゆる分野で、小さい頃から「その道ひと筋」という人はいます。でも大半の人は、途中で挫折、落伍《らくご》していきます。全員が米大リーグの大谷翔平選手や将棋棋士の藤井聡太二冠のように輝けるわけではありません。

三浦選手はこうも言います。「好きだから、大変なことでも苦にならないし、こだわれるし、楽しめる」。すべて素直な発言なのでしょう。年齢、キャリアを重ねてからでも、さらっと「好きだ」「楽しい」と語れるところに、私は彼の一番の魅力を〈清々《すがすが》しさ〉と感じるのです。

分野は違いますが、もう一つ、こんなエピソードがあります。

私が大好きな作家・大沢在昌さんが、これまた私のお気に入りの道尾秀介さんについて、道尾さんの小説『ラットマン』（光文社文庫）の巻末の解説に以下のコメントを載せていました。まさに〝我が意を得たり〟の内容だったので引用させていただきます。

彼（道尾氏）の話で忘れられないものがある。デビューしてわずか5年目の彼とトークショウをしたときだ。一生、小説家をつづけられると思うか、と訊ねると、こう答えたのだ。

「つづけられると思います。なぜかというと、以前自分が営業マンをしたときの経験ですが、同じ営業所に、どうしても成績で勝てない人がいた。失礼ながら、それほど弁が立つわけでもない。外見がとりたててよいわけでもない。なのに自分がどうがんばっても、彼の成績を超えられない。なぜだろうと考え、気づいたことがあった。それは、その人が営業の仕事を、好きで好きでたまらなかったんです。僕も決して仕事を嫌いではなかったけれど、彼ほどは好きではない、と思った。

ひるがえって、僕は、自分の小説が好きなんです。書くことが好きで好きでたまらない。だから、一生、小説家をつづけられると信じています」

「やるなぁ」というのが私の感想だった。ちょいとではあるが感動もした。


これを読んで私も、ちょいとどころか大いに感動し、これほどまでに「好きだ」と言えること（書くこと）に出合えた道尾さんをうらやましく思いました。

でも、うらやましがってばかりもいられません。三浦さんや道尾さんのように、好きなことだけを仕事にしている人は、世の中にどれだけいるでしょうか。ほんの数えるほどでしょう。いくら他に好きなことがあるからといって、そうやすやすといまの仕事を捨ててまで打ち込むことはできません。そういう人たちは、どうすればいいのでしょうか。

結論はズバリ、いまの仕事を「好き」になることです。どんなことより、いまの自分の仕事が「好き」だと思えるように努力すればいいのです。

あなたの周りにもいると思います。何をしてもつまらない、面白くないと言う人。日頃から不平不満ばかり言っている人です。それとは反対に、何をしても楽しい、面白いと言う人。こちらの方が絶対に、周りには魅力的な人に映りますよね。

つまらないと思いながら仕事をしていたら、つまらない結果しか出ないものです。どんなにつまらない仕事でも、何か一つくらいは面白いことが見つかります。その面白いことを見つけてください。見つからないなら、面白いと思えるように工夫してください。その創意工夫が、間違いなくあなたを成長させます。

どんな仕事も、つまらないと思えばつまらなくなり、楽しいと思えば楽しくなります。要は、その人の考え方、気の持ち方次第なのです。

では仕事を楽しむために、どんな話し方を心がければいいのでしょうか。三浦さんの話し方が大いに参考になります。

いまの仕事について人に聞かれたら、とにかく「好きだ」「楽しい」「面白い」を口ぐせにしてください。職場ではなく、職場を離れたプライベートな場で、このフレーズを頻繁に使うことをお勧めします。

たとえば学生時代の仲間に久しぶりに会ったときや、家族の前でいまの仕事について話すときなどです。

「いまの仕事、どうなの？」

「もう最高に楽しい。面白くて仕方がないよ」

この生き生きとした「話し方」が、あなたの仕事への思いを決定づけます。

もちろん道尾さんの生き方を理想に掲げ、いまの仕事を辞めて転職するのも一つの選択です。年齢がいくつになっても、出直しはききます。遅いなんてことはありません。

確実に言えるのは、楽しいことを仕事にした方が、絶対に人生は豊かになるということです。好きな仕事なら、苦労を苦労とも感じません。上達のスピードも速いでしょう。

社会で高い評価を受ける人は、仕事が好きで、仕事を愛し、その人にしかできない仕事をする人です。ぜひあなたもプラス思考の「話し方」を身につけて、ひときわ光る人を目指してください。

26 「言葉にして表現することは、目標に近づく一つの方法ではないかと思っています」

（イチロー選手の引退会見）から学ぶ

２０１９年３月21日、イチロー選手は日米通算28年のプロ野球現役生活にピリオドを打ちました。引退会見では、目標達成の方法の一つに「言葉」のパワーを挙げました。数々の栄光に裏打ちされたイチロー選手の発言だけに、説得力をもって身に染みました。私たちも自ら発する「言葉」の可能性を信じて、日々の「話し方」を磨いていきたいものです。

ポイント▼人に夢を語れば、実現に一歩近づく

〝真のプロフェッショナル〟といえば、皆さん誰を思い浮かべるでしょうか？　それぞれ自分のテリトリーがあって、いろんな方の名前が出てくることと思います。その中でもイチロー選手は別格でしょう。

名古屋の愛知工業大学名電高校ではエースでクリーンアップを打ち、甲子園にも2度出場しました。愛知大会では打率7割超えが話題となって、私もよく取材しました。

「センター前ヒットならいつでも打てる」と豪語して、中村豪監督がつけたニックネームは〈宇宙人〉。ワイワイガヤガヤ、にぎやかなナインに交じって、いつも一人だけ静かな印象でした。線が細く、オリックスからドラフト4位指名を受けたときは、正直、この体でプロが務まるのだろうか、ちょっと心配になったものです。いや、まったく要らぬお世話でした。

それから数年後、オリックス時代の打撃開眼のコメントは忘れられません。

「打つつもりはなかったのに、打ったらヒットになっちゃった」

つまりこういうことです。ボール球が来たので見送ろうと思っていたのに、体が勝手に反応してバットを振っていた。するとそれがヒットになった——このボールは打ってもヒットにならない、頭ではそう判断しているのに、体は瞬時にこれならいけると動いていた。結果はヒットになって、要するに体が頭に勝っていたということです。

この反射神経が求められるのは、スポーツの世界だけではありません。

何事にも臨機応変に対応する力は、さすがに〈秒単位〉とまではいかなくても、どんな仕事にも大なり小なり必要とされます。その反射神経はどうやって鍛えればいいのでしょうか。

一番有効なのは、同じことを何度も繰り返す反復練習です。無意識に体が動くようになるまで、何度も意識して同じ動作、作業を繰り返すことです。原則、成果は練習量と経験値に比例します。

イチロー選手はじめ、私が取材してきた一流といわれる人たちに共通するのは、練習は納得いくまで続けるということです。たとえば野球の場合、やみくもに何百球とボールを打つのではなく、毎回、自分の設定したテーマに沿って納得いくまで打ち続ける。それが結果的に何百球、何時間にも及ぶこともあるわけです。

そしてもう一つ、イチロー選手の引退会見で、彼が〈言葉〉のパワーに支えられてきたことに注目しました。

「最低50歳まで現役を続けるって本当に思っていたし、それはかなわずで、有言不実行の男になってしまったわけですけど、でもその表現をしてこなかったら、ここまでできなかったという思いもあります。だから、言葉にすること、難しいかもしれないけど、言葉にして表現することというのは、目標に近づく一つの方法ではないかと思っています」

これまでも私は、自分の行動目標を周りに宣言することの効用について強調してきました。

ただし言葉にして宣言したからには、全力を尽くすことが大前提です。それがないと、ただの大ぼら吹きになってしまいます。

今回、有言不実行に終わったイチロー選手のことを、誰一人責めることなどありえません。それはこれまでの彼の業績が、不断の努力の賜《たまもの》であることを誰もが知っているからです。

評価というのは、結果についてだけ下されるのではありません。その結果に至るまでのプロセスを、時に厳しく、時に優しく、周りは観察しています。そして厳しい目はすべての者に、優しい目は努力を続ける者にしか向けられないことを知ってください。

心理学の「カクテルパーティー効果」をご存じでしょうか。カクテルパーティーのように大勢が雑談していて騒々しい中でも、自分の名前や自分が興味を持っている事柄は、なぜか聞き分けられます。これは、自分の潜在意識に刷り込まれたキーワードは、騒音の中でも聞き逃さない能力が人間には備わっているからだそうです。

自分の目標を声に出して繰り返し宣言することによって、その目標は次第に潜在意識に刷り込まれていきます。そうすると、目標達成に向けて必要な情報に触れたとき、潜在意識がその情報をキャッチしてくれるのです。

私の場合、「言葉」というワードには誰よりも敏感です。周囲にいろんな音、声が入り混じっている中でも、普段からこのワードだけは無意識に拾っています。イチロー選手の引退会見をテレビで〝ながら見〟しているときも、このワードが飛び出した瞬間にメモを取っていました。

また目標を声に出すことによって、あなたの目標は周りの人にも刷り込まれます。いざというとき、その人たちがあなたの助けになることは十分に考えられます。

どんな道も頂点をきわめた人は、無意識に意識をコントロールしています。そんな〈匠の技〉は一朝一夕《いっちょういっせき》に習得できるものではありませんが、〈言葉〉のパワーが一つの源泉であることは間違いないようです。

27「消費者に何が欲しいかを聞いて、それを与えるだけではいけない。完成する頃には、彼らは新しいものを欲しがるだろう」

（スティーブ・ジョブズの名言）から学ぶ

アップル社は、常に顧客の期待を上回る製品を提供して世界最大企業にまで成長しました。どうすれば相手に喜んでもらえるか、相手の期待に応えられるかを勘案し、常に相手の期待を上回る結果を残すのが真のプロフェッショナルです。

いま自分は、周りから何を期待されているのか？　日常生活でもこの意識が大切です。

「話し上手は聞き上手」。究極の「話し上手」とは、会話の中で相手の期待を探り当てられる「聞き上手」のことです。

ポイント▼　相手の期待以上のものを提供せよ

アナウンサーの新人研修で、私が必ず新人たちに伝えることがあります。それは、アナウンサーになることは難しいが、実はこの仕事は、なってからの方がずっと難しい、ということです。

数百人に一人の難関を突破してきた新人たちは、みな希望に満ちあふれています。小さい頃から憧れていた仕事に就けた喜びは、何にも増して仕事をやり続ける原動力になります。しかし時に、そのエネルギーをもってしても力及ばない、大きな壁にぶつかることがあります。

その壁とは、周りの評価です。本人がいくら努力をしたところで突き崩せない、それは堅牢で、とてつもなく強固な壁です。

あいつは頑張ってるな、あいつの闘志は素晴らしい、といった精神的な評価は、プロには通用しません。結果を出せなければ、本人がその仕事をどんなに好きであろうと、憧れていようと、場合によってはどんなに実績があろうとも、いまの仕事を続けることはできなくなります。

アナウンサーの場合、評価をするのは直属の上司であり、番組のスタッフであり、最終的な情報の受け手である視聴者です。どんなに懸命に取材し、情報の伝え方を工夫し、熱を込めて伝えても、視聴者の支持を得られなければ、そのアナウンサーの努力は報われないどころか、すべて水の泡となってしまいます。

どんな仕事も同じことがいえます。プロ野球でも、プロサッカーでも、プロゴルフでも、大きな期待を背負ってプロの世界に入ったはずなのに、結果を出せず、いつの間にか引退の憂き目を見ている選手は大勢います。

ではどうすれば、厳しいプロの世界で、いつまでも一流と認められる生活を続けられるのでしょうか？　正解は一つしかありません。

それは、常に期待を上回る結果を出し続けることです。期待通りであって当たり前。期待を上回るものでなければ、プロの世界で一流とは認められません。


あなたを取り巻く社会にあっても同じです。仮にそれが職場だとしたら、上司や同僚、部下たちの中にあって、自分は周りの期待に応えられているかどうかを考えてみてください。その上で、期待を上回るとはどういうことかを考えるのです。

たとえば上司から資料の作成を依頼されたとしましょう。その締め切りが5日後なら、1日前倒しして4日後に提出する、それが期待を上回るということです。

もちろん早ければいい、ということではありません。内容がおろそかになってしまっては元も子もありません。期待以上の内容にするためには、自分に何が求められているのか、事前にしっかり確認しなければなりません。それが段取りです。「段取り八分、実践二分」という言い方もあるくらい、仕事には周到な準備が必要です。

段取りにあたっては、相手のペースが優先されます。相手のペースを知り、相手のペースに合わせ、相手の期待を上回る結果を出すべく努めるのです。

相手のペースに合わせるとは、しっかり相手の話を聞くことから始まります。

その資料を作る目的は何なのか、その方向性が間違っていると、せっかくの努力も徒労に終わってしまいます。そしてどんな作り方をするのか？　書式、構成、デザインなどを事前にしっかり確認しておく必要があります。

締め切りまでの期間が長い場合は、こまめな進捗《しんちょく》報告をお勧めします。上司の意向通りに進んでいるなら良し、もし違うのなら早めに修正しなければなりません。不明な点をあいまいなまま進めるのではなく、わからないことは早い段階で聞く姿勢が大切です。

どんな場合も、段取りよく進めるためには、節目節目に相手の確認を仰ぐことです。そのためのベストなコメントは、これで決まりです。

「取り急ぎここまでやってみました。確認をお願いします。足りない部分があればご指摘をお願いします」

いまの時代、スピードは常に求められます。締め切りぎりぎりではなく、時間的余裕をもって提出すれば、確認作業ができて相手は喜びます。また「足りない部分があれば……」は、期待以上のものを作るという意欲を示しています。

周りの目を意識して行動する中で、自分のパフォーマンスが認められると、誰しもうれしいものです。ただしプロは常に期待を上回る結果を残さねばなりません。そこに、プロを続けていく難しさがあります。

でも大丈夫です。一つの成功を体験することによって、人は必ず次の仕事への意欲が湧いてきます。成功が成功を導くのです。

スティーブ・ジョブズは、こうも言っています。

「顧客は、より幸せで、より良い人生を夢見ている。製品を売ろうとするのではなく、彼らの人生を豊かにするのだ」

プロの喜びは、周りの人たちの喜ぶ顔を見ることです。プロは自分自身が満足する以上に、周りを満足させることに喜びを感じます。

そんな心意気を、職場であれ、家庭であれ、地域の集まりであれ、ぜひあなたも意識して相手と向き合ってください。どうすれば相手に喜んでもらえるのか、期待以上の結果を残せるのか、会話の中で探ってください。
それが、うわべだけではない、真の「話し上手は聞き上手」ということです。

28「タクシー運転手なら地図、料理人ならレシピが頭の中に入っている。アナウンサーなら、何が頭に入っている？」

〈著者が新人研修で説くアナウンサーの基本技術〉から学ぶ

どんな仕事でも、プロの知識には舌を巻きます。それがプロのプロたる所以《ゆえん》ですが、そこには一朝一夕では達成できない、積年の努力があります。

努力は嘘をつきません。どんな〈武器〉を、どれだけ磨いてきたのか、その経験がスキルとなって身についていくのです。

あなたは「話し方」にどんな武器を持っていますか？

ポイント▼「話し方」の〈武器〉に磨きをかけよう

アナウンサーは誰もが認めるスピーチ・トークのプロフェッショナルです。正しい日本語の知識、優れたコミュニケーション能力、迅速かつ的確な判断力、効果的なプレゼン能力、人前で緊張しない術、ストレスの克服法など、アナウンサーの仕事には、社会人に求められる要素すべてが詰まっている、と言っても過言ではありません。

もちろんこうしたすべての要素をマスターするには、長い年月がかかります。特に必要なのは、さまざまな経験を積むことです。頭でっかちの机上の理屈・理論だけでは、スキルの上達は望めません。

たくさんの知識・技能・能力が求められる中でも、〈武器〉という観点からいえば、アナウンサーの強みはズバリ「語彙《ごい》」の豊富さだといえます。

たとえば花火大会の中継リポートがあったとします。

「ご覧ください。たくさんの花火が打ち上げられています。とってもきれいです」

これではプロの仕事とはいえません。もちろんテレビの場合、映像がありますから〈しゃべり過ぎ〉は禁物です。そのあたりも考慮して、こんなリポートならどうでしょう。

「次々と絶え間なく花火が打ち上げられています。光の噴水がきらめきを増し、赤、青、緑と彩りを変えながら、夜空一面に大輪の花を咲かせています」

たったこれだけの表現でも、アナウンサーは日頃どれだけの「語彙」を蓄えているかが試されます。きらめき、彩り、大輪、どれも難しい単語ではありません。ただこの場合、じっくり推敲《すいこう》する時間は許されません。コメントと映像がいかにシンクロするかがポイントになります。見たままを瞬時に言葉にしなければ、中継リポートとはいえないからです。

花火を〝光の噴水〟にたとえたレトリック（修辞法）は、いきなりアドリブで飛び出すわけではありません。日頃からストックされているフレーズだからこそ、タイミングを外すことなく口をついて出てくるのです。

〈即時描写〉――それがアナウンサーのプロの技です。瞬間、瞬間の動きを表現するフレーズは幾通りも考えられるでしょう。しかしいくつかある中でも、もっともふさわしい言葉は一つしかない、そう信じて、その最適な表現を求めて、アナウンサーは日々「語彙」を増やす努力を続けています。

皆さんにとっても、「語彙」を増やすことは「話し方」の一番の〈武器〉になります。

たとえばあなたの職場で、新人の女性の部下が落ち込んでいたとしましょう。原因は、取引先の百戦錬磨の古ダヌキに鼻であしらわれたことでした。世慣れていない彼女に励ましの言葉をかけるとしたら、あなたは次のA、B、どちらを選びますか？

A「君ってスレてないんだね」
B「君って純粋な人なんだね」

どちらもほぼ同じ意味合いには違いありませんが、あなたの優しさは、AよりBの方がストレートに伝わるのではないでしょうか。

「語彙」を増やせば会話の幅が広がります。会話に潤いが出てきます。そして何より、相手にこちらの真意が伝わります。

では、アナウンサーはどうやって「語彙」という武器に磨きをかけているのか、一つの方法をご紹介します。

古舘伊知郎さんがテレビ朝日のアナウンサー採用試験で、「特技は広辞苑を丸暗記していること」とアピールし、実際に面接官の前で披露したというのは有名な話です。それを本人から聞いて、実は私もチャレンジしたことがありました。でもすぐに挫折しました。単語の羅列の丸暗記は想像以上に難しく、私には継続するのは無理でした。

そこで出合ったのが一冊の辞典でした。同じような意味の単語がひと目でわかる〈類語辞典〉です。どうせ覚えるなら、関連した言葉を覚える方がずっと楽だと思い、それからは意味が同じ言葉を書き出しては丸暗記する作業に没頭したものです。

いまは何でもインターネットで調べられる時代です。類語・同義語のアプリも人気があると聞きました。ぜひ活用してみてください。

私が新人アナたちに真っ先に勧めるのは、「マイ類語辞典」の作成です。具体的に作成方法をご紹介します。

一つの単語について、自分のノートに辞典で調べた意味をひたすら書き出していきます。このときも、先述したように〈手書き〉が望ましいですね。その効用はあらためて説明の必要はないでしょう。

たとえば「きれい」という単語を取り上げるとします。「きれい」には、まず華やかで整っていて「美しい」「うるわしい」という意味があります。この「美しい」「うるわしい」を類語辞典で引くと、「秀麗」「端麗」「流麗」といった言葉が出てきます。こうした漢語をどんどん自分のノートに書きためていきます。

さらにもう一歩、それぞれの使い方を参照してみると、「眉目秀麗」「容姿端麗」という四字熟語に行き当たります。この二つはともに外見が優れているさまを表しますが、使い分けについては、「眉目秀麗」が容貌の優れたことを言っているのに対し、「容姿端麗」は姿かたち、つまりスタイルまで褒めていることがわかります。そして使い方で絶対に押さえておきたいポイントが、「眉目秀麗」は男性の場合に使い、「容姿端麗」は主に女性の場合に使うということ。この注意点を、目立つように大きく朱文字で記入しておくのです。

また一般の辞書・辞典と大きく違うのは、同じような意味や関連した言葉であれば、単語、熟語、ことわざなど、すべてまとめて記入してしまうことです。対義語・反対語まで追記することもあります。

たとえば「一朝」という単語に出合った場合、「わずかな時間の意」と記したあと、同じ意味で「一朝一夕」と書き加えます。さらに対義語として「ローマは一日にして成らず」「雨垂れ石をうがつ」を併記しておくわけです。そうすれば、四字熟語もことわざも、体系的に、効率的に覚えることができます。

自分だけの、オンリーワンの辞典を作る充実感も、併せて味わえますよ。

29「俺がつぶやく理由は、自分の決意や想いを再確認する意味があって、言葉にすることでさらに頑張ろうと思える」

（ユーチューバー・ヒカルさんの言葉）から学ぶ

いまや「子どもの将来なりたい職業」にも上位ランクされるユーチューバー。ヒカルさんは、登録者数420万人超の人気チャンネル『ヒカル（Hikaru）』をはじめ、複数のチャンネルを開設。さらに活躍の場はユーチューブにとどまらず、実業家・歌手としても知られています。

毎日、SNSを駆使して情報発信するヒカルさんは、こうもつぶやきます。「自分のこと一番に考えてるのは自分やで。自分信じよう」。ここにヒカルさんのメンタルの強さを見た気がしました。その秘訣は、成功のイメージを言葉にする〈セルフコントロール〉です。それはどんな社会に生きる人たちにも、大いに参考になるはずです。

ポイント▼成功のイメージをつぶやきなさい

普段の練習やリハーサルでは完璧にこなせるのに、いざ本番となると、その半分も力を発揮できないという人がいます。一方で、リハーサルでは「大丈夫かな？」と周囲に思わせながらも、本番では実力以上の力を見せつけてしまう〈つわもの〉もいます。

何事も結果がすべてです。特に勝負事では、練習時の力は実力とは見なされません。あくまで本番で発揮されて初めて実力と認められます。たとえフロック（まぐれ）であっても、いい結果さえ出せば「あいつは何かもってるな」との評価につながり、またその評価が本人の自信にもつながっていきます。自信はさらに本人の意欲に火をつけ、ワンランク上へと向上心をかき立てるのです。

私はさまざまなスポーツ競技を取材し、それぞれ一流といわれる選手たちにインタビューする機会に恵まれました。そこで気づかされたのは、本番に強いといわれる選手たちが持つ心の強さです。

たとえばプロ野球――得点差はわずかに1点。1点を追っての9回裏、最後の攻撃。二死満塁で打席に入るときの打者の心境を考えてみてください。

得点圏打率の高い打者、つまりチャンスのときにこそ普段以上の打率を残している打者は、一様に〈プラス思考〉です。「よーし、ここでサヨナラヒットを打てば、あすのスポーツ新聞の一面は俺の写真で決まり！」。そんなプラスのイメージを持って打席に入るといいます。

同じ場面でも「もし打てなかったらどうしよう。やっぱり敗因は俺ってことになるんだよな」。こんな〈マイナス思考〉に陥ったとしたら……結果は、もう明らかです。

そもそもプレッシャーをつくるのは自分自身であり、他人から与えられるものではありません。自分が勝手に「ここでいい結果を出さなければ恥をかいてしまう」「せっかく期待してくれている皆さんに、あとで合わせる顔がない」。こうした気持ちが無意識に自分自身の体を硬直させ、リラックスとはほど遠い精神状態に追い込んでしまうのです。

その気持ちの切り替えは、もちろん他人に任せるものではありません。自分自身でしか切り替えられません。これまで経験したことのない大声援を、自分の味方につけて発奮材料とするのか、大きなプレッシャーと感じて自分を追い込んでしまうのか、それを決定するのはあくまで自分自身でしかないのです。

スポーツの中継画面で選手の表情がアップになったとき、その選手がブツブツ口の中で何かつぶやいている光景をご覧になったことはありませんか。

たとえば野球で、投手が投球動作に入る直前や、打者が次の投球を待っているとき。またサッカーでは、ゴールキーパーがＰＫのボールを相手が蹴る直前、口をモグモグ動かしていることがあります。

「俺のボールは打たれない。打たれるわけがない」「神様、こんなチャンスに打席をまわしてくれてありがとう。きょう俺はヒーローになる。きょうの俺は最高のヒーローになる」「俺は止める。止められる。1点もゴールは許さない」

このように自分で自分に言い聞かせることは、〈おまじない〉であり、自己催眠でもあるのです。

テレビ朝日で人気を博したドラマ『ドクターX』。米倉涼子さん演じる大門未知子は、フリーランスの天才外科医です。彼女がどんなに難しい手術も鮮やかに成功させる、その秘訣はメンタルの強さです。

決めゼリフ「**わたし、失敗しないので**」も、頭の中には成功のイメージしかない、セルフコントロールのフレーズです。

ぜひ皆さんも、何か大事なことに挑戦するとき、ひとり静かに（ドラマと違うのはこの部分です）このセリフを繰り返してください。

「わたし、失敗しないので」。何度も口の中でつぶやいて、その結果、実際には失敗することがあるかもしれません。でもけっして懲りずに、また繰り返しつぶやいてください。失敗の過去はすべて忘れ、常にこれからのことに意識を向けて宣言する。それが、このフレーズのポイントです。

そして一度でも成功を体験すると、今度は過去を振り返ることが効果的に作用します。成功は成功のもと、失敗は失敗のもと。アナウンサーの場合は、ステージ上で常に最高のスピーチ、トークを披露して、満場の拍手を浴びている自分自身をイメージしてつぶやきます。

いざというとき、メンタルはテクニックを超えます。ピンチのとき、チャンスのとき、自らの成功体験を思い出しては、セルフコントロールのフレーズを小さな声で、心の内で繰り返してください。

え、何をつぶやくのかって？

自分だけの秘密の決めゼリフをつくるのも、また楽しいかもしれませんよ。

第4章

「話し方」ひとつで、あなたの未来は変えられる

30「社交家とは、女性の誕生日はいつも覚えていながら、彼女の年齢を忘れてしまう人のことだ」

（ロバート・フロストの名言）から学ぶ

フロストは、20世紀前半に広く大衆の人気を集めたアメリカの詩人です。ピューリッツァー賞を4度受賞したことでも有名です。

人間関係を円滑にする名言を数多く残しており、もう一つ、「人付き合いが上手いというのは、人を許せるということだ」も、ぜひ書きとめておきたい名言です。

ポイント▼「話し方」に優しさはありますか

フロストの二つの名言に共通するのは、あえて相手がイヤがる点には触れない、という相手を思いやる優しさです。

この名言のエッセンスを踏まえて、周りの人を味方にするために、絶対にやってはいけない「話し方」が二つあります。

＊感情的になること

＊人の悪口を言うこと　この二つです。

もう何年も前ですが、兵庫県のある県議さんが、まるで駄々をこねる子どものようにひたすら泣きわめいた記者会見がありました。当時、何度もテレビのニュースやワイドショーで放送されたので、覚えていらっしゃる方も多いと思います。

私の記憶では、彼の意味不明な言葉の中にも、断片的でしたが「少子化や高齢者問題など、何とか自分の力で解決したいと願って議員になった」――そんな政治に対する純粋な思いを語っていた部分もありました。それだけに、余りにも冷静さを欠いた話し方がとても残念だったことを覚えています。

この例を他山の石に、やってはいけない一つ目が、感情むき出しの話し方です。

感情のおもむくままに言葉を発していては、社会生活は営めません。会話の途中で急に声を荒らげたり、会議の席上で突然怒り出したり、自分の感情をコントロールできない人への信頼感は、感情をあらわにした瞬間、大幅にダウンします。「虫の居所が悪いみたいね」「大目に見てやろう」と、仲間なら最初はかばってくれるかもしれませんが、二度三度と続くうちに、周りには誰もいなくなってしまいます。

例外はあります。たとえばスポーツのヒーローインタビュー。思わず感極まって言葉を失ってしまったような場合、むしろ感情が伝染して聞き手の感動の涙を誘います。

こうした例は除いて、一時《いっとき》のマイナスの感情に支配された「話し方」では、論理的な話し合いは成立しようがありません。いまＳＮＳでは、やたら怒りを前面に押し出して相手を中傷し、それを皆で面白がる風潮があります。怒りは収まることを知らず、炎上するまで増幅し続けます。感情に任せていては、いつまで経っても問題は解決しないのです。

やってはいけない「話し方」の二つ目、それは、人の悪口を言うことです。

誰かの悪口を言ったとき、実はそこに、これまた二つの面でマイナス効果が発生することにお気づきでしょうか。

あなたが気の置けない仲間に、誰かの悪口を言ったとします。親しい仲間であれば、その場ではみな、「うんうん、俺も、私も、そう思う」と、うなずいてくれることでしょう。でもそれが何度も続いたとき、あなたへの評価はマイナス方向に進んでいき、陰口ばかりたたく信用できない人とのレッテルを貼られてしまいます。陰で言うのは、人の褒め言葉に限ります。悪口も褒め言葉も、回り回って、いつかは本人の耳に入るものなのです。

そしてもう一つ。悪口を言うと、自分自身がマイナスのオーラに包まれてしまいます。悪口を言うこと自体、マイナス思考です。最初は他人に向けてのマイナス思考だったのが、いつの間にか、自分自身がマイナス思考に支配されてしまうということです。

プロゴルファーから、こんな話を聞いたことがあります。最終ホールでグリーン対決になったとき、相手選手が先に打ったパットに「入るな！」と心の中で叫んだとしたら、大抵の場合、自分も外してしまうそうです。これもマイナス思考によってもたらされる結果と考えられます。

どんなときもプラス思考が好結果を生みます。職場で上司や先輩、同僚に相談を持ちかけるときも同じです。相談にかこつけてグチばかりこぼす人。自分のことは棚に上げて不平不満だけを並べ立てる人。こういう人は完全にマイナス思考に陥っています。

プラス思考の人は、相談内容に必ず自分の考えを持っています。「自分はこうしたい」がまずあって、その上で「どうしたらいいでしょうか？」と続きます。

仕事の進め方で質問するときも同じです。わからないことがあれば人に聞く。それは正解です。誰かに物事を教えることをイヤがる人はほとんどいません。人に教えることは快感をともないます。ところが何度も同じことを聞かれると、快感は不快感に変わってしまいます。ましてや、最初の質問の際にメモもとらずに聞いていたとしたら、教える側としては怒鳴りたくもなるでしょう。

質問するのは、ときに勇気が要ります。「いまさらこんなこと聞けないよな」。その気持ちはよくわかります。上司や先輩ならまだしも、後輩には聞きづらい、恥ずかしい、という気持ちもよくわかります。

そのときの話し方は、やはりプラス思考がカギになります。

「この点について、私はこう思うのですが、何か足りないところはあるでしょうか」

事前に自分なりの回答を用意した上で質問するのが鉄則です。何を聞きたいのかわからないまま質問するから、相手の気分を害してしまうのです。

自分だけでなく周りの人も幸せにする「話し方」は、常にプラス思考から生まれます。そしてその根底には、フロストが説く、相手を思いやる優しさが流れていることを忘れてはいけません。

31「世界は誰かの仕事でできている」（缶コーヒー『ジョージア』のキャッチコピー）から学ぶ

自動販売機で缶コーヒーを買う父親が、小さな息子から尋ねられます。「この世界は誰がつくっているの？」。この問いに、「俺だ」「俺ですよ」「俺でしょう」と、とび職、たこ焼き屋、営業マン、配達業者、警察官、交通誘導員、ラーメン屋と、次から次へいろんな職業の人たちが名乗りを上げます（すべて俳優の山田孝之さんが演じています）。そして最後には父親自らが「俺だ」と宣言する２０２０年オンエアのテレビＣＭです。

世の中に必要のない仕事などありません。働く者の心を揺さぶるＣＭでした。

ポイント▼相手を高める「話し方」をしていますか

話し方はどんなに繕《つくろ》っても、その人自身の生き方や考え方などすべてを表します。この節では、皆さんの仕事への取り組み方を通じて、理想の話し方を探ります。

けさ起きてからいままで、あなたは何をしていましたか？「うーん、朝は目覚まし時計で6時に起きて、スマホでニュースをチェックして、インスタントコーヒーを飲んで、電車に乗って出勤して……」。まあ、ごくありふれた日常的な光景ですね。

では、きょう一日、あなたは誰のお世話になりましたか？「ん？　お世話って、いや、特に誰の世話にもなってないよ」

そう答えたなら、あなたの認識は間違っています。

なぜなら、あなたが朝一番に触れた目覚まし時計に始まって、スマホ、ニュース、インスタントコーヒー、どれ一つとっても、世の中の誰かの手によって作られ、供給され、あなたの元に届けられたものだからです。電車にしても、その車両の設計、製造から運行まで、どれだけの人たちが関わっているとお考えですか。

そう考えると、あなたはきょうも無数の人たちのおかげで、便利で平和で安全な暮らしを営むことができるわけです。

そして見方を変えれば、きょうあなたと電車に乗り合わせた人たちも、それぞれいろんな仕事に就いていて、間接的ではあっても、知らないうちにどこかで触れ合い、助け合っているに違いありません。私たちは互いの仕事を通じて、たくさんの人たちとつながっています。

一見、関連がないように見えても、元をたどっていくと、きっと何かしら関わりが見えてくるものなのです。

なぜ自分はこの仕事をしているのか？

誰しも一度は悩み、考えたことがある疑問だと思います。そんなとき、自分もこの世界をつくる人間の一人と考えたらどうでしょう。自分の仕事が誰かの役に立っていると考えたら、がぜん前向きになって〈やる気〉が出てくるのではないでしょうか。

仕事の種類、規模の大小ではありません。賃金の多寡でもありません。自分の仕事がなければ世の中は動かない、と考えられるとしたら、これからの生き方にちょっぴり勇気をもらったような気がしませんか。

仕事について考えることは、自分の生き方を考えることでもあります。それだけ働くことと生きることとは密接な関係にあります。そしてはっきりしていることは、仕事が充実していると人生は楽しいということです。

人は何のために働くのか？

この疑問にも、いま明快な答えが出ましたね。そう、楽しい人生を送るためです。

ではもう一問。企業人にとっては究極の選択です。お答えください。

あなたが働くのは会社のためですか？　それとも自分のためですか？

私は100パーセント自信をもって答えられます。自分のためです。私はサラリーマン生活を42年経験しましたが、その間一度たりとも、自分を、ひいては家族を犠牲にしてまで会社に尽くそうとは考えませんでした。ただし自分が一生懸命働くことが会社に貢献することだとは、いつも考えていました。

会社が存在すること自体、社会への貢献につながります。社会貢献できない会社は淘汰されます。それが社会の仕組みです。ですからあなたが働くことは会社に貢献することであり、さらにそれは、社会の役に立つことであるわけです。

どうでしょう。いま仕事でつらいことがあったとしても、あなたが頑張ることによって誰かが幸せになれるとしたら、もうちょっとだけ頑張れる気がしてきませんか。

せっかくこの世に生を受けた以上は世の中に貢献したい、必要とされる人になりたい、という思いがあなたを成長させるのです。

サッカー日本代表の選手は口をそろえて、こう言います。

「サムライブルーのユニフォームを着ると、いつもと違うモチベーションで胸が高鳴ります。日本のために頑張ろうと思うし、頑張れるんです」。モチベーションさえしっかり確立できていれば、どんな苦難も乗り越えられます。

「え？　そんなこと言われても……日本代表選手のモチベーションと自分のモチベーションを比べられてもなぁ、そりゃあ全然違うし……」。当然そんな反論もあるでしょうね。でも、あなた自身がその価値観から抜け出さなければ何もできません。自分から立ち止まっていては1ミリも前に進むことはできないのです。

どんな仕事も同じです。サッカー日本代表も、アナウンサーも、とび職も、たこ焼き屋もみな同じです。自分が世界をつくっているという心意気で臨めば、それがエネルギーとなって、一つの仕事をより大きなかたちで完遂させることができるのです。

誰もが、自分の働き方、生き方を真摯《しんし》に追求することで、理想の話し方の獲得にも一歩ずつ近づいていきます。

理想の話し方は、常に相手に必要とされ、役に立つ人になろうという気持ちがなければ実践できません。なぜなら、常に相手を思いやり、相手を高める気遣いこそが、理想の「話し方」にもっとも欠かせないものだからです。

32「将棋に巡り合えたのは運命だと思いますし、強くなることが使命……使命までいくかわからないですけど、自分のすべきことだと思います」

（藤井聡太二冠のインタビュー）から学ぶ

中学2年でプロ棋士となった藤井聡太二冠は、デビュー戦から歴代最多の29連勝を記録。その後も躍進めざましく、17才11カ月で棋聖のタイトルを獲得。さらに18才1カ月で王位を獲得し、史上最年少で二冠に輝きました。

インタビューの受け答えは、大人顔負けの語彙《ごい》力と思慮深さに満ちていて、幅広い層の将棋ファン急増に貢献しています。

とりわけ〈使命〉という言葉が飛び出したことに驚かされました。そこにプロ意識の凄味《すごみ》を見た気がします。

ポイント▼使命感が「話し方」を変える

〈使命〉とは、多分に運命的な意味合いでいえば、人が天から与えられ、絶対に果たさねばならない重大な務めのことです。

ここではアナウンサーの〈使命〉から考えてみます。その前に、私が声を大にして言いたいこと、それは、世の女子アナは誤解されているということです。

女子アナのイメージを総体的にまとめると、「華やか」「タレント」「知的なアイドル」「玉の輿ねらい」「ミスキャンパス」「高収入」……といったところでしょうか。

でも実際の女子アナの一日は、というと、たとえば早朝の情報番組のMCを務める女子アナの場合、毎日、起床は深夜の2時です。そして番組放送後も、翌日の打ち合わせや取材に駆けずりまわり、夕食は独り、自分の部屋でコンビニ弁当を食べ、夜8時には布団に入って寝るという大変ストイックな日々を送っています。

どんな仕事もそうですが、外からの見た目と内実はまったく違います。華やかさの裏には日頃たゆまぬ努力があり、その日々は何より地道で、仕事にかける熱い情熱に支えられています。世の女子アナたちは、肉体的にも精神的にも、時に限界まで挑戦することすらある、過酷な日々を送っています。

女子アナはジャーナリストです。タレントではありません。国民の知る権利に応え、国民の命と暮らしを守り、国民の幸せにつながる情報を伝えるのが仕事です。その〈使命〉を果たすために、女子アナは日々、自分の目と足で稼いだ情報を、自分の言葉で伝えるべく努力しています。

もし女子アナ自身が、自分の〈使命〉をはき違え、勘違いしてしまったとしたら、そのときその女子アナは失格の烙印《らくいん》を押されてしまいます。

たとえば、災害現場からハイヒールと毛皮のコート姿でリポートした女子アナ。取材より、打ち合わせより、化粧に長く時間をかけた女子アナ。そんな女子アナはスタッフからも視聴者からも敬遠され、たちまちお役御免になってしまいます。

考えてみれば、どんな仕事も同じではないでしょうか。どんな仕事にも〈使命〉はあります。自分の〈使命〉を知って、そして自分自身が〈使命感〉をもって、覚悟を決めて仕事に向き合ったとき、初めてその人はプロへの道に一歩踏み出したといえるのです。

イソップ寓話《ぐうわ》が出典ともいわれ、経営学者ピーター・ドラッカーの『マネジメント』（ダイヤモンド社）にも登場する「三人のレンガ職人」の話があります（『マネジメント』では三人の石切り工）。ビジネス研修では定番の教材なので、ご存じの方も多いでしょう。簡単にご紹介します。

旅先で一人の男が三人のレンガ職人に出会って声をかけました。
旅　人「何をしているんですか？」
一人目「見ての通り。あっしは、ただレンガを積んでいるだけですよ」
二人目「あっしは、このレンガを積む仕事で家族を養っているんですよ」
三人目「あんた、将来ここにどんな建物が完成すると思うかね？　あっしはね、歴史に残る大聖堂を造っているんですよ」

三人とも同じようにレンガ積みをしているのですが、それぞれ作業の捉え方が違います。一人目は言われたことをやっているだけで、特に目的はなさそうです。二人目は生活費を稼ぐため、と目的ははっきりしています。そして三人目は、後世の人々が驚くような、歴史に残る大聖堂を造っている、と胸を張って答えています。

これは、三流の人は〈義務感〉で働き、二流の人は〈責任感〉で働く。そして一流の人は〈使命感〉で働いている、という寓話です。

まったく同じ仕事をしていても、この上ない達成感を味わっているのはどの人か、もちろん言うまでもなく明らかですね。

〈使命感〉とは、自分に課せられた務めを果たそうとする気概です。自分の気の持ち方次第で、仕事に対する満足感、幸福感も違ってくるのです。どうせだったら、大きな夢を描いて、楽しく仕事をしたいものです。


〈使命〉は与えられるものですが、〈志〉は自ら〝こうしよう〟と心に決めることです。もしあなたが職場で浮いた存在だと気づいたとしたら、あなたの助けになるのは〈志〉です。ただし〈志〉は自分本位のものであってはなりません。あくまで職場を良くしたい、会社を良くしたいという〈志〉でなければ、周りの共感を呼ぶことはできません。

〈志〉という単語を辞書で引くと、「心に思い決めた目的や目標」と併記して「相手のためを思う気持ち。厚意」とあります。金持ちになりたい、出世したい、という自分だけを思うニセモノの〈志〉だとしたら、誰も協力なんかしてくれません。ますます疎外感を味わうことになるだけです。

また〈夢〉を語ることと〈志〉を語ることは意味が違います。

たとえば「将来お医者さんになりたい」は〈夢〉であって、〈志〉ではありません。この〈夢〉を〈志〉にしたいのであれば、「将来お医者さんになって、がん患者の命をすべて救いたい」と、具体的に人の役に立つ決意を持たねばならないと思うのです。

人の役に立つ役割を担うことは、あえて面倒なことに挑戦することでもあります。

人のために頑張っている人と、自分のために頑張っている人、あなただったらどちらを応援するでしょうか。

常に他人を思いやる「話し方」と行動が多くの仲間をつくります。そしていざというとき、その仲間たちが応援団となって、あなたを助けてくれることになるのです。

33 「ダメだよ、何でも真実を探求したら」

（マツコ・デラックスさんの名言）から学ぶ

マツコ・デラックスさんといえば、歯に衣着《きぬ》せぬ「話し方」で、毎日テレビで見ない日はありません。含蓄のあるこの名言も、さまざまな解釈ができます。

私は「真実は人の数だけ存在する。どんなに親しくなっても、最後まで踏み込まない方がいい関係だってある」と理解しています。

人との距離感を適度に保つことは、人間関係のストレスをためない術の一つです。では実際にどんな「話し方」を心がければいいのでしょうか。

ポイント▼ 相手との距離を詰めすぎてはいけない

人間関係のストレスは、まず相手に期待しすぎるところから生まれます。何かを聞けば丁寧に教えてくれるだろう。何かを頼めばすぐに応えてくれるだろう。そんな甘い考えは、よほど長い時間をかけて人間関係が確立されていない限り、ほとんど通用しないと覚悟すべきです。

「そんなこと自分で考えろよ」「人に頼む前に自分で動け」

相手は思い通りに対応してくれないどころか、時には容赦なく罵声すら飛んできます。

この本で私が一貫して主張しているのは、そんな他人を変えることはできないが、自分を変えることはできる。だから理想の自分になるために、いま一度、自分自身の「話し方」を見直そうということです。

ここではズバリ、結論からお話しします。

周りのイヤな相手に、極力ストレスをためない「話し方」の２パターンです。私がいつも実践していて、これまでの成功率、ほぼ１００パーセントの「話し方」です。

１　イヤな相手と対面するとき、心の中でつぶやくセルフコントロールのコメントです。

「この人は本当にかわいそうな人だ。この性格では誰も相手にするわけがない。相手をしてやれるのは自分しかいない。そうさ、自分はこの人の救済者だ」

心の中でこう唱えながら相手と向き合います。上司だろうが取引先だろうが、相手に同情を寄せて接するのがポイントです。お気づきでしょうか。同情を寄せた時点で、コミュニケーションのイニシアチブは、こちらに移っているのです。

2　相手のイヤミな言葉はすべて受け流し、相手の言い分には〈のれんに腕押し〉状態で対応するコメントです。

「そうですね。おっしゃる通りです」

ポイントは相手の言ったことはすべて肯定することです。どんなに理不尽な言い分であっても、ここでぶつかっては前に進めません。その場では肯定して、ただしスタンスは徐々に相手との距離を広げていきます。

人間というのは不思議なもので、こちらから距離をとりはじめると、相手はそれまでの距離感が心地よかったのか、次第に距離を詰めてくるものです。その際、多少の妥協の余地も見せながら……。逃げられると追いかけたくなる。まさに恋愛と同じ心理状態です。

このときも二人の関係のイニシアチブは、完全にこちらに移っています。自分が相手をコントロールしているのです。

ただしこのコメントが効果を発揮するためには絶対条件があります。それは与えられた仕事は完璧にこなすこと。仕事ができないのに〈のれんに腕押し〉状態では、先方の罵声はエスカレートするばかりです。

仕事を完璧にやり遂げた達成感、満足感、周りの評価は、それまでのストレスを一気に解消します。つまり「仕事でストレスをためずに、仕事でストレスを発散させよう」ということです。

相手との距離を適度に保ちながら、自分のペースで仕事を完遂する。確かに理想ですが、どんな仕事でも可能か、と聞かれると、私も正直、自信はありません。

「好きこそものの上手なれ」のことわざ通り、誰しも好きなことは熱心に取り組めるので、当然ながら早い上達が見込めます。最初から好きなことを仕事にしていれば、ストレスはたまりません。あなたがいま就活中の学生さんなら、お金より、待遇より、ネームバリューより、好きなことを最優先させるべきです。後悔しないように、より慎重に進むべき道を選択してください。

ほとんどの人は、いまの仕事は嫌いじゃないけど好きでもない、といった感覚でしょうか。趣味じゃなくて仕事なんだから仕方がない、という声が多いのも承知しています。でもあえて言います。

いまの仕事を「好き」になることが、ストレス解消の一番の特効薬です。

他のどんなことより、いまの自分の仕事が「好き」だと思えるように努力してくださぃ（第25節参照）。いろんな工夫を重ねることによって、「好き」の度合いが高まるにつれ、仕事はますます楽しくなってきます。楽しく仕事ができれば好結果につながり、さらに意欲が湧くという好循環を生むわけです。

仕事を「好き」になる方法の一つは、その道に精通したベテランに、仕事の醍醐味《だいごみ》（本当の面白さ）を教えてもらうことです。ベテランといっても、目上の人ばかりとは限りません。同僚や、ときには目下の人間だっているかもしれません。でも相手が誰であれ、こちらから距離を縮めて一から教えてもらうのです。

教えてもらう立場で注意したいのが、やたら相手を質問攻めにすることです。私は教える立場になって初めてわかりました。知らないからといって、何の下調べもしないで質問するのはもってのほか。また調子に乗ってプライベートなことまで質問するのはNGです。「親しき仲にも礼儀あり」。要は、マナー違反にならないように、節度をわきまえた「聞き方」が肝要ということです。

節度とは、行き過ぎず、適度であることです。つまり「話し方」「聞き方」の場合は、相手との距離を指しています。

34 「仕事を聞かれて、会社名で答えるような奴には、負けない」

（求人情報誌『ガテン』のキャッチコピー）から学ぶ

リクルート社の求人情報誌『ガテン』（１９９１〜２００９）のキャッチコピーは「就職」と「就社」の根本的な違いを明快に説き、仕事の意味についてあらためて考えるきっかけを与えてくれました。この雑誌からネーミングされたという「ガテン系」の仕事のイメージとも重なって、独立独歩のたくましさと自分の仕事への〈矜持《きょうじ》〉がひしひしと伝わってきます。

あなたも仕事に迷ったとき、自分の仕事への思い、誇りを言葉にすることで、新たな意欲が湧いてくるはずです。

ポイント▼ 迷ったときは自分の矜持を言葉にしよう

「教えることは、教えられること」

最近とみに、この金言の意味を実感しています。以前、講師を務めた「話し方教室」でのエピソードです。

事務職の若い女性ばかりを対象に、「心に残る、あの言葉」というテーマでフリートークの研修をしました。その際に、こんな発表がありました。

「3対3の合コンに参加したときのことです。お相手の職業はデザイナーと聞いていました。勝手にナヨナヨした男性をイメージしていたんですが、実際にお会いした3人は、みんな真っ黒に日焼けしたたくましい印象でした。『スポーツは何をしているんですか』ってお聞きしたら、『特に何にもしていない』って。そこで気になるのは日焼けのワケですよね。『日焼けサロンですか』って聞いたら、みんな笑いながら『仕事です』って。えっ、デザイナーなのに？　みんな目が点になっていたら『ボクら、大地をデザインしているんです』って。実は3人とも土木作業のお仕事だったんです。それをデザイナーって言うもんだから、びっくりしちゃって……」

思わず私も口を挟んじゃいました。

「それって経歴詐称だよね」

しかし彼女は意に介さず、明るく目を輝かせて、こう続けました。

「でも素敵じゃないですか。道路やダムを造るって、とってもスケールの大きいお仕事で、『大地をデザインする』って言葉も、最高に素敵な表現だと私は思いました。はい、いま、その彼とお付き合いしています」

最後はのろけ話になった彼女のフリートーク。とてもほのぼのとしたいい話でした。それに対して私は反省しきりでした。

自分の仕事をレトリックで表現した、彼の言葉のセンスを褒める前に、経歴詐称なんてワードが口をついて出たことが恥ずかしくなりました。

どんな仕事にも〈使命〉がある以上、〈使命感〉をもって携わっている人たちには、みな仕事への思い（やはりここでは〈矜持〉という言葉が一番しっくりきます）があるはずです。自らの〈矜持〉をレトリックで表現するとは、それだけ言葉のパワーを信じている証です。しかも、その〝たとえ〟が素晴らしい！

この日は、私自身がいつの間にか見落としていた大切なことを、生徒さんに教えてもらいました。

同窓会などで久しぶりに会った友人に「いま仕事は何をしているの？」。こんなふうに聞いたり、聞かれたりするのは、ごく普通にある光景です。でも相手がいきなり会社名で、しかも有名企業名で答えたりすると、このあと自慢話でも始まりそうで、質問した方は何となくイヤな気分になってしまいます。

それに比べて、「俺さ、いま国の未来を創ってるんだよ」。そんな答えが返ってきたら、一気に会話が広がりそうな雰囲気になって、何かとても楽しいですよね。

「え、何だよ、それ」

「だから国の将来に欠かせないもの。何だと思う？」

「えーっ、そんなのいっぱいありすぎて、わかんないよ」

「中でも一番大事なものさ」

「うーん……何だろう」

「人だよ。人。俺、いま学童保育の指導員をやってるんだ」

「へー、お前、そんなに昔から子ども好きだったたっけ」

どうでしょう。こんなやりとりだったら、周りの人たちも巻き込んで大いに会話が盛り上がりそうですよね。

自分の〈矜持〉を言葉にするとは、どういうことでしょうか。また、どういう意味があるのでしょうか。

一言でまとめるなら「自己確認」です。いつの間にかあいまいになっていた自分の〈使命〉を、あらためて誰かに説明することで、自分自身が再確認するセルフコントロールです。

では皆さんもチャレンジしてみてください。

ここでのポイントは、目的が〈誰かに説明する〉というところです。もちろん最終目的は「自己確認」ですが、第三者に説明するためには、端的に、わかりやすく表現することが求められます。そこで効果的なのが、レトリックです。といっても、難しく考える必要はありません。何かにたとえてみるのです。

あなたがメーカーの営業マンだとしたら、自社製品を売り込むのがお仕事ですよね。細かな販売ルートは省くとして、最終的な届け先は消費者、つまり一般の方々です。一人でも多く自社製品を使っていただくことで、あなたはどんな思いを持つでしょうか？　そりゃあ、うれしいですよね。あなたの仕事によって大勢の人々が喜び、笑顔になり、幸せになる。つまりあなたは「幸せを届ける人」です。

この仕事をたとえて「私、毎日、みんなのサンタさんをやっています」ではどうでしょうか。わが事ながら思わずニヤッとして、そして何となく仕事に「やる気」が出てくるんじゃないでしょうか。

自ら発した言葉が、あなた自身を励まし、あなたの未来を拓《ひら》くのです。

35「私は毎年4月1日、必ず初心にかえります」

（孫正義ソフトバンクグループ会長兼社長の入社式挨拶）から学ぶ

孫会長から新入社員へ、自らへの戒めも込めた祝辞です。主旨は「どんなに規模が大きくなっても、何のために自分は会社を興したのか、創業当時の思いに立ち返ることで何をすべきかが見えてくる」。当時の思いこそが〈志〉であり、つらいとき、苦しいときは、原点回帰することで新たな進むべき道に気づく、と説いています。

孫会長はこう続けます。

「思いは強ければ強いほどいい。それは自分の欲望を満たすのではなく、多くの人に幸せになってもらいたいという思いだ」。大切なことは、自分の思いを〈言葉〉にして常に立ち返ることです。

ポイント▼悩んだときは迷わず原点回帰しよう

「もうこんな仕事なんか辞めてしまいたい」

「いますぐにでも、こんな職場から逃げ出してしまいたい」

実際には辞めなくても、逃げ出さなくても、誰だってそういう気持ちになることはあります。あなただけが特別なのではありません。みな同じような悩みを、一度や二度は経験しているものです。

とはいえ、まずいのは、その気持ちを引きずったまま次の仕事に臨むことです。マイナス思考に陥ったままでは、良い結果など残せるはずがありません。

結果が悪ければ、さらに仕事への意欲は減退します。そうなったら「負のスパイラル」に巻き込まれ、その後の結果も推して知るべし、自他ともに満足できるものにはならないでしょう。

悩めるときは、いまの仕事に就いたときのフレッシュな気持ちを思い出すこと。あのときの希望に燃えた自分を取り戻すことで、モチベーションは確実に上がります。

あのときの自分は何をしたかったのか？　あのときの自分は、将来どんな自分になりたかったのか？　原点回帰の方法は人それぞれですが、私が実践してきたのは次の二つです。

＊日記をつけ、折にふれ音読すること

＊上司や先輩に相談すること

先述したように、私は毎日、10年日記をつけています。日記には日々の記入欄とは別に、「年のはじめに」「月のはじめに」という欄があり、1ページに10年分が記入できるようになっています。つまり毎年、毎月、そのはじまりに目標を立てれば、その都度、過去の目標と現在の進捗状況が比較できるわけです。

目標とは、自分が目指すゴールです。当然「こうしたい、ああしたい」というプラス思考で記されています。その目標を頻繁に確認することによって、自分自身を鼓舞することができるのです。

もちろん、順調に目標をクリアできることの方が珍しいです。いや、ほとんどクリアできないと言っていいかもしれません。私の場合、たとえばこの本の執筆にあたっては、当初、こんな目標を立てました。

「1年後に『話し方』の本を出版する！　そのためには毎日2時間PCに向かう！　ノルマは最低でも原稿用紙3枚！」

ところが出勤前の早朝の2時間、何とか執筆時間は確保できても、わずか数行しかマス目を埋められない日々が続きました。その度に目標を下方修正しては、結局、出版までには3年近くかかりました。

でも、それで良かったのだと思います。筆がまったく進まないとき、その時点では出版できる確約などないのに原稿用紙に向かうとき、自分はこういう本を書きたいと綴《つづ》った欄を〝声を出して〟読み返しては、初心にかえって執筆意欲を燃やしたものです。そう、このときのポイントは〝音読〟すること。その効果のほどは、あらためて説明の必要はありませんね。

過去のプラス思考の自分と向き合うことは、現在の自分が過去の自分に励まされることです。過去の自分は、現在の自分を知りません。現在の自分を知って満足するのか、がっかりするのか、日々、自分との闘いが続くわけです。

闘いとはいっても、相手は自分自身ですから、これほど〝強い味方〟はありません。味方の期待に応えるために、つまりは自分自身を裏切らないために、人は想像以上の努力を続けられるものなのです。

一人では完結できない場合は、遠慮なく人に頼りましょう。上司や先輩に相談するのです。

「何を言い出すんだ。相談できる上司や先輩なんかいるわけがないだろう。いないからこんなに苦労しているんだ」

そういうご意見があるのも承知しています。でもあえて言います。たとえ苦手な上司や先輩であっても、あなたから近づく努力をするのです。その際には「相談」というワードが効果的に作用します。

「すみません。折り入って相談があるのですが……」

どんな人も、部下や後輩から頼られて悪い気はしません。面倒くさいとは思われても、とりあえず「聞く耳」は持ってくれます。問題はそこから。つまり相談の内容次第です。

この際のポイントは、目的をけっして見誤らないこと。すなわち自分自身の原点回帰のための相談に徹するということです。くれぐれも日頃の不平や不満に言及しないように気をつけてください。

「実はこのところ気持ちばかり焦ってしまって、思うように仕事がはかどりません。以前の自分と比べて、どこかお気づきの点はありますか」

このときのあなたのスタンスを整理します。「仕事に意欲はあるが、どうも空回りしているようだ。かつてのガムシャラな気持ちを忘れてはいないつもりだが、自分では気づかない点があるかもしれない。ぜひアドバイスをお願いしたい」。あくまで他人から見た自分自身の原点を指摘してもらうのが目的です。

苦手な上司や先輩と二人きりの時間を共有することで、ほんの些細《ささい》なことでも新しい発見があるものです。その結果、期待以上のアドバイスをもらえたとしたら、そもそもあなたの人を見る目が間違っていたのかもしれません。あるいは、予想通り（?）あなたへの小言のオンパレードで終始してしまったとしたら、その相手とは徐々にまた距離をとればいいのです。

現実に私はこの方法で、真に尊敬できる人に巡り合えました。自分の原点を探ることができて、しかもその途上で、これまで勝手な思い込みで敬遠していた人と親しくなることができたとしたら、まさに一石二鳥です。

待っているだけでは悩みは解決しません。解決のためには自ら行動を起こすこと。そのエネルギーは、原点に立ち返ることで必ずよみがえります。

そして一番大切なことは、あなた自身が、あなたの正直な思いを言葉にして残しておくことです。原点は言葉にしなければわかりません。言葉にするからパワーが生まれるのです。

おわりに

いまあなたは、社内のプロジェクト会議に参加しています。次期プロジェクトの採用にあたって、A君とB君、二人のプレゼンが披露されました。さすがに社を代表するエース級の二人です。ともに理路整然と、構成も内容も、そして話術も甲乙つけがたく、どちらの案が採用されるのか、全社の注目を集めています。

ただこの二人、日頃の「話し方」は好対照です。A君はいつも自信に満ちあふれ、周りの意見には耳を貸さず、自分の意見を押し通すタイプ。一方のB君は、いつも周りを気遣い、じっくり意見を聞いた上で結論を出すタイプです。

両君ともよく知るあなたは、さてどちらを応援しますか。

いざというとき味方したくなる人は、普段から何かしら魅力を感じている人です。

私はこの本で、人の魅力は「話し方」に表れると一貫して書いてきました。どんなに繕《つくろ》っても、普段の話し方には、その人の生き方、考え方、働き方などすべてがにじみ出てしまうものです。

誰もが好感を持つ「話し方」の原点は、相手を思いやり、大切に思う気持ちです。それは職場でも学校でも、家庭でも、どんな社会でも同じです。常に相手を気遣う気持ちがなければ、相手の心をつかむことはできません。

たとえ正しいことを言われても、強い口調でとがめられてばかりでは素直に聞けなくなります。同じ内容のことを言われても、相手を応援したくなるのか、反発したくなるかは、日頃のその人の話し方によって変わってくるのです。

話し方を教える立場にあって、ある受講生（男性会社員）の方の感想がいまも強く印象に残っています。

「話すことを学んで、周りの人間と楽しく付き合えるようになりました。仲間が増えて、どんな仕事も乗り切れる自信がつきました」

自分の話し方を見直したことで、以前は反対が多かった自分の意見も尊重されるようになった。仕事の成果が上がり、周りには応援してくれる味方が増えた。どんなことにも自信がついて、積極的に向き合えるようになった。

つまり話し方を変えたことが多くの副産物を生んで、公私ともに充実した毎日を送れるようになった、という成功パターンです。

「人生こんなはずじゃなかった」と、理想と現実のギャップに悩んでいる皆さんにも、ぜひこの喜びを味わっていただきたい、その思いで私はこの本を書きました。

話し方を学ぶことは、自分の生き方を見つめ直すことでもあります。常に前向きで明るい話し方を身につければ、楽しい人生を送ることができます。

逆に何でも他人のせいにして、常に後ろ向きの話し方で文句ばっかり言っていたら、結局みじめな人生を送ることになってしまいます。

どうかあなたも、自分自身の「話し方」をいま一度、真剣に見つめ直してください。そして自分の「話し方」に、魂を込めてください。それはきっと、自分の生き方に魂を込めることにつながります。

この本を読んでいただいた皆さんが、少しでも仕事に意欲を燃やし、生きる日々を充実させることができたとしたら、著者としてこれ以上の喜びはありません。

最後にこの本を、亡き父と母、そしてずっと出版を心待ちにして協力を惜しまず見守ってくれた妻と家族に捧げます。

また新型コロナウイルス禍の中で、東京と名古屋の距離をオンラインで埋めてくださった、みらいパブリッシングの田川妙子さんと近藤美陽さん、企画の段階から貴重なご意見をいただいたJディスカヴァーの城村典子さんと菊池寛貴さんに心から御礼申し上げます。
本当にありがとうございました。

浅沼道郎

浅沼道郎 あさぬま・みちお

1953年愛知県生まれ。早稲田大学商学部卒。

名古屋テレビ（メ～テレ）アナウンサー歴28年。ニュースキャスターをはじめ、情報番組MC、スポーツ実況など、あらゆるジャンルの番組を担当。退職後の現在は、アナウンススクールや話し方教室、大学、一般企業などで講師・講演活動を続けている。「話し方」が人の魅力を形成すると説き、出会った人たち全員を味方につける「話し方」を究極の理想に掲げる。著書に『ゆっくり話すだけで、もっと伝わる！』（朝日新聞出版）がある。

——成功者《せいこうしゃ》が教《おし》える 35のアドバイス——
周《まわ》りの9割《わり》が味方《みかた》に変《か》わる話《はな》し方《かた》

2021年2月15日　初版第1刷

著　者　浅沼道郎《あさぬまみちお》
発行人　松崎義行
発　行　みらいパブリッシング
〒166-0003 東京都杉並区高円寺南4-26-12 福丸ビル6F
TEL 03-5913-8611　FAX 03-5913-8011
https://miraipub.jp　MAIL info@miraipub.jp
企画協力　Jディスカヴァー
編　集　田川妙子
ブックデザイン　洪十六
発　売　星雲社（共同出版社・流通責任出版社）
〒112-0005 東京都文京区水道1-3-30
TEL 03-3868-3275　FAX 03-3868-6588
印刷・製本　株式会社上野印刷所

ISBN978-4-434-28588-2 C0080